최신
개정판

· 중학교 졸업자격 검정고시 ·

검정고시의 정석

사회

도서출판 국자감
www.kukjagam.co.kr

목차

CONTENTS

1학년

목차 | CONTENTS

목차

CONTENTS

3학년

목차

CONTENTS

SOCIAL STUDIES

1
grade

01 내가 사는 세계

1 다양한 지도 읽기

(1) 지구의 모습

1) 대륙

① 육지 : 지구 표면의 약 30%

② 6대륙 : 유럽, 아시아, 아프리카, 북아메리카, 남아메리카, 오세아니아, (남극)

2) 해양

① 바다 : 지구 표면의 약 70%

② 5대양 : 태평양, 대서양, 인도양, 북극해, 남극해

(2) 지도의 원리

1) 지도 : 지표면의 여러 가지 지리적 현상을 약속된 기호로써 평면에 나타낸 그림
⇒ 넓은 범위를 지도 안에 담기 위해 실제 공간을 일정한 비율로 줄여서 나타냄

2) 지도의 구성 요소

① 축척 : 실제 거리를 줄여서 지도에 나타낸 비율

② 방위 : 지도에서 방향을 나타내는 것으로 방위의 표시가 없을 때는 지도의 위쪽이 북쪽

③ 기호 : 지표면에 나타나는 여러 가지 현상을 지도에 표현하는 일종의 약속

ㅛ 논	⩩ 폭포	♨ 온천
॥ 밭	Y 뽕밭	⊘ 발전소
ㅇ 과수원	⫫ 습지	⚒ 해수욕장
⊓⊓⊓ 성	◌ 국립 공원	⊙ 등대
▲ 학교	∴ 명승 · 고적	⚓ 항구
⚹ 우체국	╫ 능묘	☼ 공장

④ 등고선

· 의미 : 평균 해수면을 기준으로 같은 높이의 지점을 연결한 가상의 선

· 구분 : 간격이 넓으면 완경사, 좁으면 급경사를 이루며, 모양이 정상으로 들어가면 계곡(골짜기), 정상에서 나가면 능선

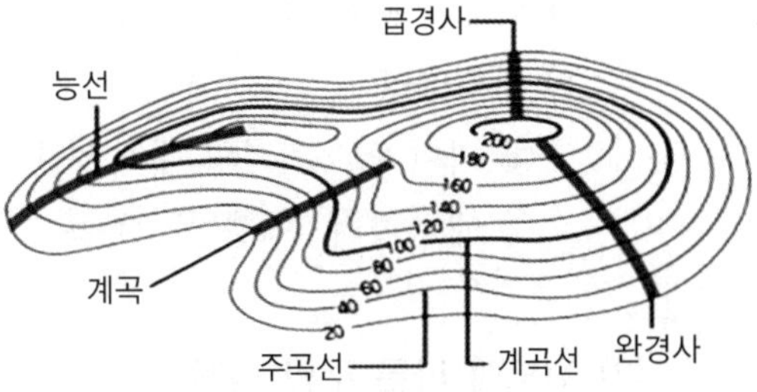

3) 사용 목적 및 내용에 따른 구분

① 일반도

· 의미 : 지역의 자연환경과 인문환경을 종합적으로 나타낸 지도

예 우리나라 전도, 세계지도

② 주제도

· 의미 : 특별한 목적에 따라 필요한 내용만 나타낸 지도

예 인구분포도, 지하철 노선도, 통계지도

2 위치에 따른 인간 생활

(1) 큰 규모의 위치 표현

1) 대륙과 해양 : 주변의 대륙과 해양을 이용하여 위치를 표현

2) 위도와 경도

① 위도(위선)

· 의미 : 적도(위도 0°)를 기준으로 그은 가상의 가로선

· 표현 : 북위(N)와 남위(S) 각 0° ~ 90°

② 경도(경선)

· 의미 : 본초자오선(경도 0°)을 기준으로 그은 가상의 세로선

· 표현 : 동경(E)과 서경(W) 각 0° ~ 180°

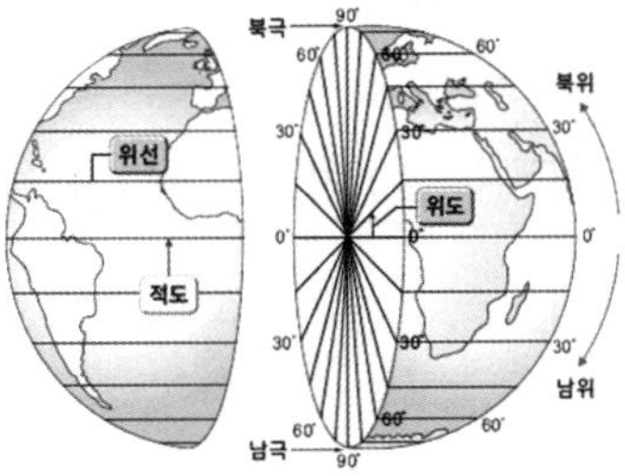

▲ 지구의 위선과 위도

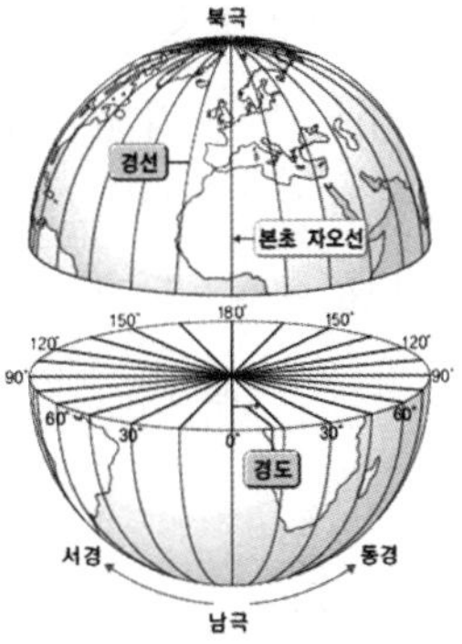

▲ 지구의 경선과 경도

(2) 작은 규모의 위치 표현

1) 주소 : 행정구역을 근거로 위치를 표현함

2) 랜드마크

① 의미 : 그 지역의 대표적인 장소, 건물 등을 활용하여 위치를 표현

② 예 : 파리 "에펠탑", 뉴욕 "자유의 여신상", 호주 "오페라 하우스" 등

(3) 위도에 따른 주민 생활

1) 위도에 따른 기온 차이

① 발생 원인 : 지구가 둥글기 때문에 지역에 따라 햇볕을 받는 차이 발생

② 지역별 기온 분포 : 저위도에서 고위도로 갈수록 기온이 낮아짐

③ 영향 : 의식주, 생활양식 등의 생활 모습이 달라짐

2) 위도에 따른 계절 차이

① 발생 원인 : 지구의 자전축이 23.5° 기울어진 채 공전 ⇒ 태양의 고도와 낮의 길이가 변함

② 지역별 계절 차이

· 저위도 지방 : 햇볕을 가장 많이 받아 연중 덥고, 계절의 변화가 거의 없음

· 중위도 지방 : 계절의 변화가 뚜렷함(4계절의 변화)

· 고위도 지방 : 햇볕을 가장 적게 받아 춥고, 계절의 변화가 거의 없음

3) 계절 차이에 따른 인간 생활

① 북반구와 남반구는 계절이 반대라서 사람들의 생활 방식에 많은 차이가 발생함

② 영향

· 가옥 : 북반구는 남향집, 남반구는 북향집

· 농업 및 관광 : 계절이 반대라서 농산물의 교역이 이루어지며, 관광산업도 발달

(4) 경도에 따른 주민 생활

1) 경도에 따른 시간 차이

① 발생 원인 : 지구가 하루에 한 바퀴씩 서쪽에서 동쪽으로 자전하기 때문에 발생

② 표준시 : 각 국가나 지방에서 사용하는 통일된 표준 시각

· 세계 표준시 : 본초 자오선(경도 0°)을 기준으로 함

· 우리나라 표준시 : 동경 135° 선을 기준 ⇒ 본초자오선보다 9시간 빠름

※ 경도 15°마다 1시간 차이 발생

③ 날짜 변경선 : 동경 180° 선과 서경 180° 선이 만나는 선(24시간의 시차 발생)

2) 시간 차이와 인간 생활

① 시차의 영향 : 해외 여행, 지역 간 교류, 국제 무역 등

② 시차의 활용 : 지구 반대편에 있는 나라들이 시차를 이용해 협력하여 업무를 진행

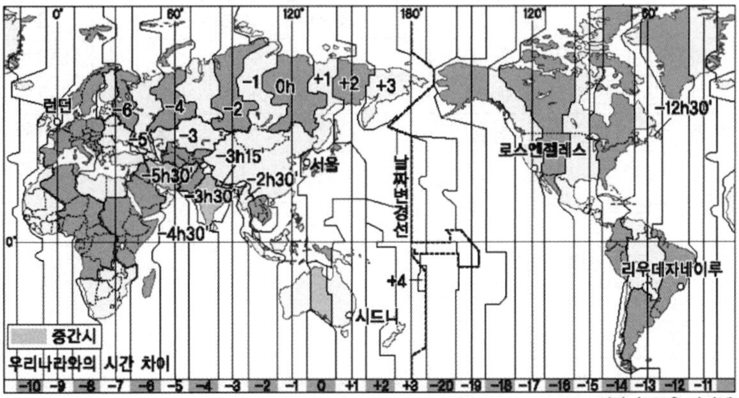

※h : 시간, ' : 분을 나타냄

3 지리 정보와 지리 정보 기술

(1) 지리 정보

① 의미 : 우리가 살아가는 공간 및 지역에 관련된 지식과 정보

② 사례 : 버스 노선도, 도로 표지판, 관광 안내도 등

(2) 지리 정보 기술의 발전

① 지리 정보 기술의 발달 : 컴퓨터와 인터넷 등 정보 통신 기술의 발달로 여러 지역의 지리 정보를 쉽게 얻을 수 있음

② 사례

㉠ 원격탐사 : 직접 접촉하지 않고도 멀리 떨어진 곳의 정보를 수집하는 방법

㉡ 지리 정보 시스템(GIS) : 컴퓨터를 이용하여 사용자의 요구에 따라 다양한 방법으로 분석 · 종합하여 제공하는 정보 처리 시스템

㉢ 위성 위치 확인 시스템(GPS) : 인공위성을 이용하여 사용자의 위치를 알려주는 시스템

GIS 풀어보기

1. 다음 조건을 가지고 공장을 지으려 한다. 적당한 곳을 찾아보자.
   - 조건 1 : 기반암이 화강암
   - 조건 2 : 지하수 필수
   - 조건 3 : 평당 가격이 5만원 이하

조건 1 : 지질도		
화강암	화강암	편마암
화강암	편마암	편마암
편마암	화강암	화강암

조건 2 : 지하수도		
×	×	○
○	○	×
○	×	×

조건 3 : 부동산 지도		
5만원	5만원	6만원
5만원	5만원	6만원
5만원	5만원	7만원

2. 입지 찾아보기

공장 입지 지역		
A	B	C
D	E	F
G	H	I

* 정답 : D

(3) 지리 정보 기술의 활용

① 일상생활 속의 활용 : 네비게이션, 교통안내시스템, 스마트폰 길 찾기 프로그램 등

② 공공 부문의 활용 : 국토관리, 자연재해 대비, 교통상황 파악 등

Exercises

단원문제 1

01 **지구의 모습에 대한 설명으로 옳은 것을 모두 고른 것은?**

> ㄱ. 지구의 표면은 육지보다 바다가 넓다.
> ㄴ. 지구의 표면을 6대양 5대륙으로 구분한다.
> ㄷ. 아프리카 대륙은 가장 작은 대륙이다.

① ㄱ ② ㄱ, ㄴ ③ ㄴ, ㄷ ④ ㄱ, ㄴ, ㄷ

02 **지도에서 방위 표시가 없을 때 위쪽의 방향은?**

① 동쪽 ② 서쪽 ③ 남쪽 ④ 북쪽

03 **다음 등고선 중 경사가 가장 완만한 곳은?**

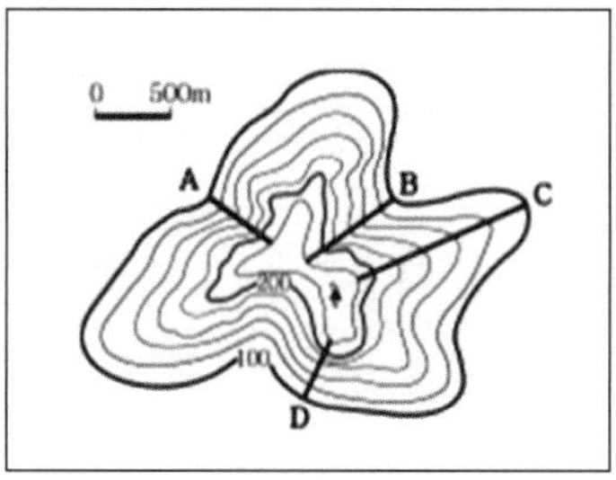

① A
② B
③ C
④ D

04 **다음 내용에 해당하는 위치 표현 방법은?**

> · 어떤 곳을 상징적으로 대표하는 건물이나 조형물 등
> · 뉴욕의 '자유의 여신상', 파리의 '에펠탑', 베이징의 '자금성' 등

① 지리적 표시제 ② 랜드마크
③ 위선 ④ 행정 구역

05 **다음 내용에 공통으로 영향을 주는 요인은 무엇인가?**

> · 세계 표준시 · 날짜 변경선

① 경도 ② 위도 ③ 기후 ④ 지구 공전

06 다음에서 설명하는 용어는?

> · 동경 180° 선과 서경 180° 선이 만나는 선
> · 24시간의 시차 발생

① 경도 ② 위도 ③ 본초자오선 ④ 날짜변경선

07 위도에 따라 나타나는 현상에 대한 설명으로 옳은 것은?

① 극지방은 상대적으로 태양을 많이 받는다.
② 지구의 공전으로 위도에 따른 시간 차이가 발생한다.
③ 저위도 지방은 일년 내내 기온이 낮다.
④ 중위도 지방은 계절의 변화가 뚜렷하다.

08 좁은 지역의 위치를 표현하기 위해 활용할 수 있는 것을 〈보기〉에서 고르면?

〈보기〉
> ㉠ 위도 ㉡ 경도 ㉢ 랜드마크 ㉣ 행정구역

① ㉠, ㉡ ② ㉡, ㉢ ③ ㉡, ㉣ ④ ㉢, ㉣

09 지리 정보 시스템(GIS)의 활용 분야로 옳지 않은 것은?

① 학교 생활 만족도 조사 ② 교통 안내 서비스
③ 도시 계획 수립 ④ 산사태 정보 시스템

10 다음 〈보기〉에서 설명하는 것은?

〈보기〉
> 인공위성을 활용하여 사용자의 위치를 경도 · 위도 좌표로 알려주는 시스템

① 원격 탐사 ② 지리 정보 시스템
③ 위성 위치 확인 시스템 ④ 본초자오선

정답 : 1. ① 2. ④ 3. ③ 4. ② 5. ① 6. ④ 7. ④ 8. ④ 9. ① 10. ③

02 우리와 다른 기후, 다른 생활

1 세계의 다양한 기후 지역

(1) 기후와 지역 구분

1) 날씨와 기후

① 날씨 : 짧은 시간 동안 나타나는 대기의 상태

② 기후 : 오랜 기간 동안 일정하게 나타나는 대기의 상태

- 기후 요소 : 기온, 바람, 강수량 등
- 기후 요인 : 위도, 지형, 해류, 육지와 바다의 분포 등

2) 세계의 기후 지역 구분

① 세계의 기온 분포

- 위도에 따른 기온 분포 : 저위도(적도)에서 고위도로 갈수록 기온이 낮아짐
- 대륙과 해양에 따른 기온 분포 : 대륙이 해양보다 연교차가 큼

② 세계의 강수량 분포

- 위도에 따른 강수량 분포 : 적도 부근과 중위도 지방은 강수량이 많음
- 대륙과 해안에 따른 강수량 분포 : 해안은 강수량이 많고, 대륙 내부는 강수량이 적음
- 지형과 바람에 따른 강수량 분포 : 바람 받이 지역은 강수량이 많고, 바람 그늘 지역은 강수량 적음

③ 세계의 다양한 기후

- 열대 기후 : 적도 부근으로 가장 추운 달의 평균 기온이 18℃이상이며, 아마존 밀림과 같은 열대 우림과 야생동물이 살기 적합한 열대 사바나(초원)로 이루어짐
- 건조 기후 : 강수량 500mm 미만이며, 강수량보다 증발량이 많음
- 온대 기후 : 중위도 지역으로 기온이 온화, 강수량이 풍부 ⇒ 인간의 거주에 유리(4계절의 변화가 나타남)
- 냉대 기후 : 기온의 연교차가 크며, 겨울이 춥고 길다. 침엽수림(타이가)이 분포함
- 한대 기후 : 극지방 및 그 주변으로 짧은 여름 시기에 일부 지역에서 이끼나 풀이 자람(툰드라)

(2) 인간의 거주와 자연환경과 기후

1) 거주지 선정

① 자연 환경 : 기후, 지형, 토양, 식생 등

② 인문 환경 : 교통, 문화, 경제, 정치 등

※ 최근 산업화 · 도시화로 자연환경이 인간 거주에 미치는 영향이 점차 줄어들고 있음

2) 거주에 유리한 기후

① 온대 기후 지역 : 온화한 기후, 풍부한 강수량 ⇒ 농경에 유리하여 인구가 밀집

② 열대 고산 기후 지역 : 적도 부근의 해발 고도가 높은 지역에서 나타남 ⇒ 기온이 서늘하여 많은 인구가 거주하기도 함

3) 거주에 불리한 기후

① 적도 부근 및 극지방 : 너무 덥거나 너무 추워서 인간의 거주에 불리

② 건조 기후 지역 : 물이 부족해서 농경에 불리

③ 해발 고도가 너무 높은 지역 : 기온이 낮고 산소가 부족, 평탄한 땅을 찾기 어려움

2 열대 우림 지역 생활

(1) 특색

1) 연중 기온이 높고 강수량이 많아 덥고 습함(가장 추운 달의 평균 기온이 18℃이상)

2) 매일 짧은 시간에 집중적으로 스콜이 내림 ⇒ 밀림(정글) 형성

(2) 대표 지역 : 아프리카 '콩고 분지', 남아메리카 '아마존 분지' 등 적도 지역

(3) 주민 생활

1) **의복** : 얇고 간편한 옷

2) **주거** : 개방적 가옥 구조, 지붕이 급경사, 바닥을 띄운 고상 가옥

3) **농업**

① 이동식 화전 농업 : 삼림을 불태워 경지를 만든 후 농작물을 재배 ⇒ 지력이 떨어지면 다른 곳으로 이동하여 농사를 지음

② 플랜테이션 : 열대기후 + 선진국의 자본과 기술 + 원주민의 노동력 ⇒ 커피, 천연고무, 카카오 등 상품 작물 재배

4) **음식** : 쉽게 상하지 않도록 염장식품 · 기름 · 향신료 등을 많이 사용

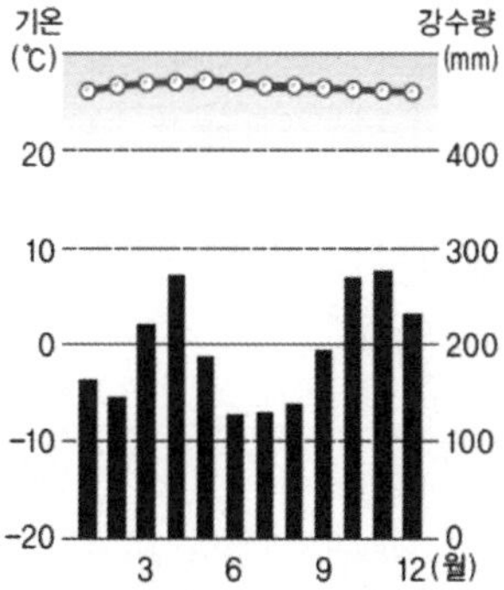

▲ 열대 우림 기후

▲ 고상 가옥

3 온대 지역 생활

(1) 특색

1) 중위도 지역을 중심으로 분포하며, 계절에 따라 기온의 차가 큼

2) 농경에 유리하여 인간 거주에 적합 ⇒ 인구 밀집

(2) 구분 및 농업

1) 온대 계절풍 기후

① 유라시아 대륙 동안, 북아메리카 대륙 동안 등

② 여름에는 고온 다습하며, 겨울에는 한랭 건조함 ⇒ 벼농사 발달

2) 서안 해양성 기후

① 서부 및 북부 유럽, 북아메리카 북서 해안 등

② 연교차 작고, 연중 고른 강수량 ⇒ 혼합농업, 낙농업, 원예농업

※ 혼합농업 : 곡물재배 + 가축사육 + 사료작물 재배

낙농업 및 원예농업 : 대도시 주변 또는 교통이 편리한 곳에 발달

3) 지중해성 기후

① 남부 유럽, 북아프리카 지중해 연안, 미국 캘리포니아 일대 등

② 여름이 고온 건조하며, 겨울이 온화하고 많은 비가 내림 ⇒ 수목농업

※ 수목농업 : 고온 건조한 여름을 견딜 수 있는 포도, 올리브, 코르크 등을 재배

4 건조 지역과 툰드라 지역 생활

(1) 건조 지역의 생활

1) 특색

① 강수량 500mm 미만이며, 강수량보다 증발량이 많음

② 강수량의 차이 : 사막 기후와 스텝 기후로 구분

2) 주민 생활

① 사막 지역 : 연 강수량 250mm 미만

- 의복 : 온몸을 감싸는 헐렁한 옷
- 주거 : 지붕이 평평하고 벽이 두껍고 창문이 작은 흙집
- 농업 : 오아시스 농업 혹은 관개수로를 이용한 관개 농업이 이루어짐

② 스텝 지역 : 연 강수량 500mm 미만

- 주거 : 천막 형태의 이동식 가옥 구조
- 농업 : 유목, 관개시설을 이용하여 대규모 소 방목 및 밀 재배

③ 주민 생활의 변화

- 산업화의 진행으로 정착하여 생활하는 유목민이 늘고 있음
- 사막화 현상 : 초원지대가 사막으로 변함 ⇒ 물을 구하기 힘들어짐
  (대표지역 : 사헬지대)

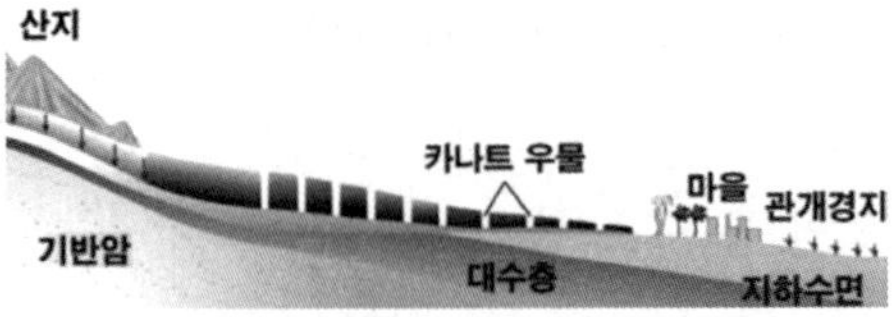

▲ 카나트

▲ 사막화 현상 - 사헬지대

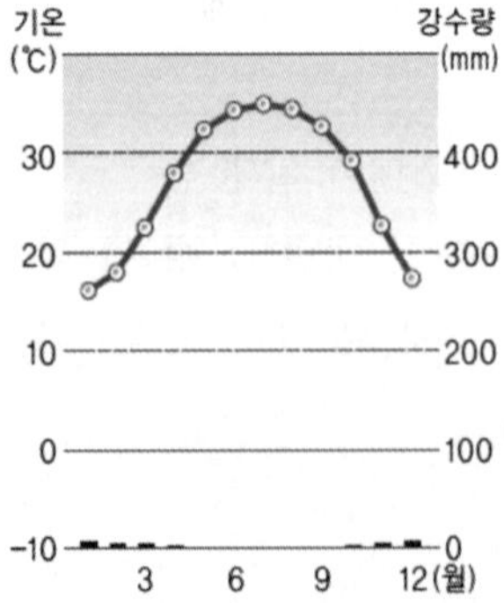

▲ 건조 기후

▲ 게르

(2) 툰드라 지역 생활

1) 특색

① 가장 더운 달의 평균 기온이 10℃미만

② 땅속이 일년 내내 녹지 않고 얼어붙은 영구 동토층이 있다.

③ 강수량은 적지만 기온이 낮고 증발량이 적어 지표는 다습한 편임

2) **분포** : 북극해 주변, 남극해 주변의 섬, 북아메리카 대륙의 북부, 그린란드 주변 등

3) **식생** : 여름철 땅의 표면이 녹으면서 습지에 풀과 이끼류가 자람 ⇒ 순록이 찾아옴

4) **주민 생활**

① 의복 : 두꺼운 옷, 털가죽 옷

② 음식 : 날고기, 날생선, 사냥(바다표범, 산양 등) 등

③ 주거 : 폐쇄적 가옥 구조, 고상 가옥

④ 주민 생활의 변화

· 관광산업의 발달 : 백야현상, 빙하, 오로라 등을 체험하기 위해 관광객 증가

· 도시로 이주하는 원주민 증가 : 자원 개발 및 도시 발달로 생태계가 훼손되고 오염됨

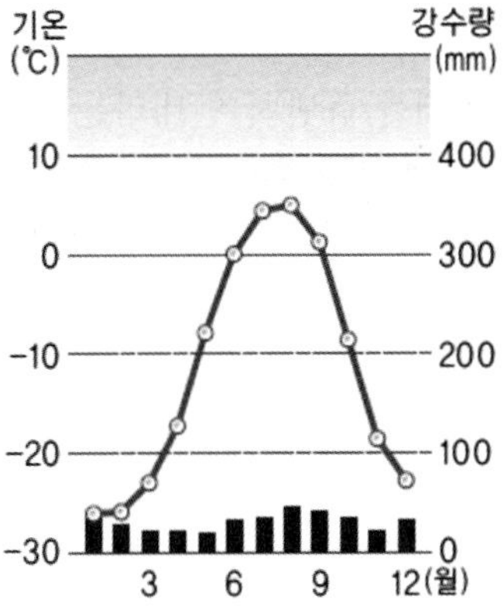

▲ 한대 기후

Exercises

01 **다음 〈보기〉 중 기후 요소를 바르게 모두 고른 것은?**

〈보기〉

A. 강수량　　B. 기온　　C. 지형　　D. 위도

① A, B　　② B, C　　③ A, C　　④ C, D

02 **다음 〈보기〉 중 인간이 거주하기에 불리한 기후 지역을 모두 고른 것은?**

〈보기〉

A. 고산 기후　　B. 한대 기후　　C. 온대 기후　　D. 건조 기후

① A, B　　② B, C　　③ A, C　　④ B, D

03 **다음 〈보기〉의 공통된 기후를 고르면?**

〈보기〉

· 매일 천둥 및 번개를 동반하며 내리는 스콜
· 원주민의 노동력과 선진국의 기술과 자본이 결합하여 작물을 재배하는 플랜테이션 농업

① 건조 기후　　② 냉대 기후
③ 열대 기후　　④ 온대 기후

04 **다음 학생들의 대화 내용에 해당하는 기후는?**

① 사바나 기후　　② 지중해성 기후
③ 서안 해양성 기후　　④ 타이가 기후

05 다음 그림을 보고 알맞은 기후 지역은?

① 건조 기후 ② 툰드라 기후 ③ 사바나 기후 ④ 열대 우림 기후

06 다음 그림과 같은 지역의 기후는?

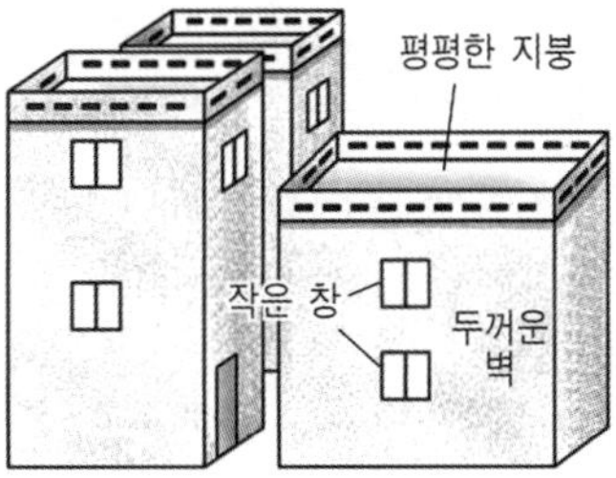

① 열대 기후
② 건조 기후
③ 한대 기후
④ 냉대 기후

07 다음에 해당하는 기후는?

· 여름철은 덥고 건조하며, 겨울철은 비교적 따뜻하고 비가 자주 내린다.
· 여름철의 건조한 날씨를 견디기 위해 포도, 올리브, 코르크 등의 작물을 재배하는 수목 농업이 발달한다.

① 고산 기후 ② 열대 기후 ③ 건조 기후 ④ 지중해성 기후

08 건조 기후 지역의 생활 모습으로 가장 적절한 것은?

① 오아시스 주변에서 대추야자와 오아시스 농업 등을 재배한다.
② 가옥의 벽이 얇고, 창문이 크다.
③ 열기와 습기를 피하기 위해 고상가옥을 짓고 생활한다.
④ 집안의 습기를 없애기 위해 벽난로를 설치하였다.

정답 : 1. ① 2. ④ 3. ③ 4. ③ 5. ② 6. ② 7. ④ 8. ①

03 자연으로 떠나는 여행

1 지형 경관

(1) 지형 형성

1) **의미** : 지구 내부의 힘과 외부의 힘을 받아 다양한 지형이 형성

2) **지형 형성 작용**

① 지구 내부의 힘(내적 요인)

· 원인 : 맨틀의 움직임에 의한 지각판이 이동

· 종류 : 조륙운동(융기, 침강), 조산운동(습곡, 단층), 화산활동

· 대표적 지형 : 산맥, 고원, 화산 등

※ 세계의 큰 산맥

· 고기습곡산지 : 해발고도 낮음(지각 안정), 고생대에 형성 ⇒ 우랄 산맥, 애팔래치아 산맥 등

· 신기습곡산지 : 해발고도 높음(지각 불안정), 신생대에 형성 ⇒ 알프스 산맥, 히말라야 산맥, 안데스 산맥 등

② 지구 외부의 힘(외적 요인)

· 원인 : 태양 에너지에 의해 형성

· 종류 : 침식, 운반, 퇴적, 풍화 작용 등으로 다양한 지형을 만듦

· 대표적 지형 : 선상지, 범람원, 삼각주, 침식 분지 등

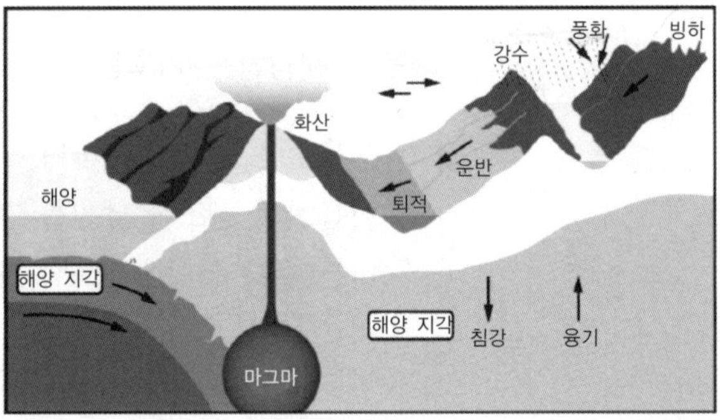

(2) 산지 지형

1) **의미** : 해발 고도가 높고 평지에 비해 기온이 낮고 경사진 지형

2) **주민 생활**

① 농업 및 거주 공간이 불리하지만 외부로부터의 방어가 유리

② 지하자원과 삼림자원이 풍부하며, 자연환경을 이용하여 관광산업이 발달하기도 함

※ 열대 고산 지역

· 의미 : 해발고도가 높아질수록 기온이 낮아짐 ⇒ 연중 봄처럼 온화함 ⇒ 인구 밀집

· 대표 지역 : 라틴 아메리카 지역의 안데스 산맥에 고산도시가 형성됨

2 해안 지형의 형성

(1) 해안 지형의 원인 및 구분

1) **형성 원인** : 파도나 조류의 침식, 운반, 퇴적 작용으로 형성

2) **침식에 의한 형성**

① 형성 작용 : 파도의 침식 작용으로 형성됨

② 대표적 지형

· 해식애 : 파도에 의해 깎인 해안 절벽

· 시스택 : 파도에 의해 해식애가 침식되면서 생긴 바위 기둥

· 해식동굴 : 해식애 밑에 파도에 의해 생긴 동굴

3) **퇴적에 의한 형성**

① 형성 작용 : 파도의 퇴적 작용 또는 조류의 작용으로 형성

② 대표적 지형

· 사빈 : 하천에서 공급된 모래가 해안선을 따라 퇴적된 지형

· 사구 : 모래 언덕

· 갯벌 : 밀물 때는 바다, 썰물 때는 땅이 되는 지형

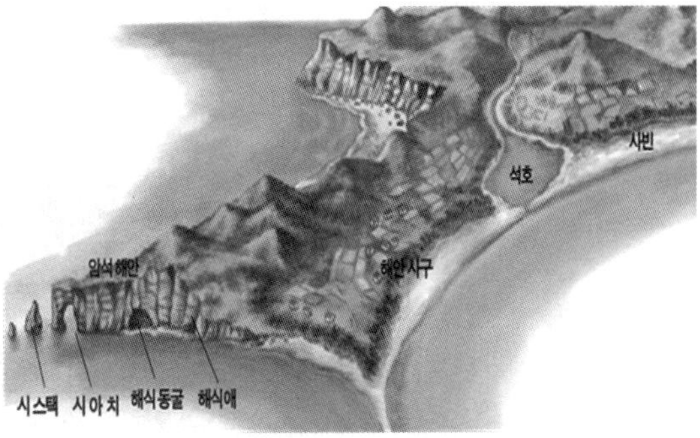

(2) 주민 생활

1) 바다와 육지를 모두 이용할 수 있어 식량자원을 쉽게 얻을 수 있음

2) 교통과 교역의 발달로 무역항이나 공업 도시로 성장하기도 함

3) 해안 경관을 이용한 관광산업이 발달하여 지역 경제가 활성화되기도 함

※ 해안지역 개발로 인한 문제점

· 관광객의 증가로 교통체증 및 범죄가 늘어나기도 함

· 관광지 개발 및 많은 사람들로 인해 환경오염 및 생태계가 파괴되기도 함

3 우리나라의 자연 경관

(1) 제주도

1) **형성** : 화산 활동에 의해 형성됨

2) **독특한 지형**

① 한라산

· 정상 : 백록담

· 세계 자연 유산으로 지정되어 있음

② 오름 : 큰 화산의 사면에 형성되는 작은 화산들로 기생화산이라고도 부름 (약 360여 개 분포)

③ 주상절리 : 용암이 바다로 떨어져 식으면서 다각형의 기둥모양으로 형성

④ 용암 동굴 : 용암이 흐르면서 만든 동굴 예 만장굴, 김녕굴 등

▼ 제주도의 화산 지형

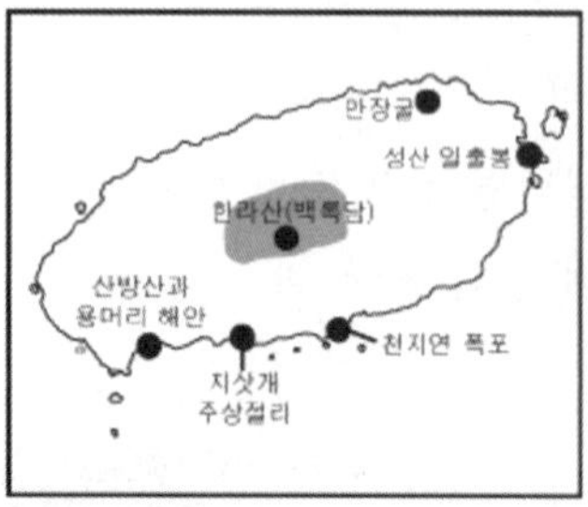

▲ 백록담(화구호)

▲ 성산 일출봉(오름)

▲ 지삿개(주상절리)

(2) 산지 : 동고서저의 지형이며, 해발 고도가 낮고 경사가 완만

(3) 해안

1) 서(황) · 남해안

① 해안선이 복잡하고 수심이 얕은 리아스식 해안

② 갯벌 발달

· 밀물 때 바닷물에 잠기고, 썰물 때 드러나는 지형

· 이용 : 염전, 양식장, 관광지, 간척지 등

2) 동해안

① 해안선이 단조롭고 수심이 깊다.

② 사빈 발달

· 하천에서 공급된 모래가 해안선을 따라 퇴적

· 이용 : 해수욕장, 관광지 등

※ 해안 비교

	서(황) · 남해안	동해안
수심	얕다	깊다
해안선	복잡하고 섬이 많다	단조롭다
조석간만의 차	크다	작다
지형	갯벌	사빈, 사주, 석호
이용	염전, 양식장, 간척지	해수욕장, 관광지

(4) 카르스트 지형

1) **의미** : 지하수가 오랜 시간 석회암을 녹이면서 형성

2) **분포 지역** : 강원 남부 및 충청북도 북부 일대

3) **석회 동굴**

① 내부에 종유석, 석순, 석주 등이 발달

② 대표 지역 : 단양 고수동굴, 삼척의 환선굴, 울진의 성류굴 등

4 세계의 다양한 지형

(1) 하천 지형

1) **의미** : 하천의 물이 흐르면서 침식과 퇴적 작용으로 형성된 여러 지형

2) **구분**

① 침식으로 형성된 지형 : 폭포, V자곡 등

② 퇴적으로 형성된 지형 : 선상지, 범람원, 삼각주 등

(2) 빙하 지형

1) **의미** : 빙하가 이동하면서 침식, 운반, 퇴적 작용으로 형성

2) **대표적 지형** : U자곡, 피오르 해안, 호른 등

(3) 카르스트 지형

1) **형성 원인** : 석회암 지대에서 지하수의 용식 작용으로 형성

2) **주요 지형** : 석회 동굴, 탑카르스트 등

3) **대표적 관광지** : 베트남 “하롱베이”, 중국 “구이린” 등

(4) 건조 지형

1) **형성 원인** : 바람에 의한 침식 · 퇴적 작용으로 형성

2) **주요 지형** : 버섯바위, 사구 등

Exercises

01 지형 형성과 변화 중 지구의 내적 작용과 관계 깊은 것은?

① 퇴적 작용 ② 침식 작용 ③ 화산 활동 ④ 운반 작용

02 지구 외부의 힘에 의한 지형 변화 요인은?

① 퇴적 작용 ② 조륙 운동 ③ 화산 활동 ④ 조산 운동

03 다음에 해당하는 지형은?

> · 발달 위치 : 산지와 평지가 만나는 경사 급변 지점
> · 형성 과정 : 골짜기 입구에서 하천의 유속이 급감하면서 부채꼴 모양으로 퇴적되어 형성
> · 구성 : 선정, 선앙, 선단

① 범람원 ② 선상지 ③ 침식분지 ④ 해식애

04 해안의 퇴적 지형과 관계가 <u>없는</u> 것은?

① 사빈 ② 간석지 ③ 해식애 ④ 사구

05 다음과 같은 특징이 나타나는 해안 지형은?

> · 황 · 남해안에 발달
> · 양식장, 염전으로 이용
> · 밀물 때는 잠기고 썰물 때는 드러나는 지형
> · 농경지, 택지, 공업용지 조성

① 사빈 ② 석호 ③ 갯벌 ④ 삼각주

06 다음 〈보기〉에서 해안 퇴적 지형을 고른 것은?

〈보기〉

ㄱ. 갯벌 ㄴ. 해식애 ㄷ. 사구 ㄹ. 파식대

① ㄱ, ㄴ ② ㄱ, ㄷ ③ ㄴ, ㄹ ④ ㄷ, ㄹ

07 산지 지형에 대한 설명으로 옳지 않은 것은?

① 주변보다 고도가 높은 지형이다.
② 형성 시기에 따라 높이가 다르다.
③ 농업 활동에 불리하다.
④ 갯벌을 이용한 관광산업이 발달했다.

08 제주도와 관련있는 내용으로 옳은 것은?

① 화산섬이다.
② 해상국립공원으로 지정됐다.
③ 갯벌이 넓게 분포한다.
④ 한라산의 정상을 천지라 한다.

09 우리나라의 해안을 비교한 내용 중 옳은 것은?

	구분	서 · 남해안	동해안
①	조차	작다	크다
②	해안선	단조롭다	복잡하다
③	섬의 분포	적다	많다
④	대표 지형 및 이용	갯벌, 양식장 등	사빈, 석호, 해수욕장 등

10 다음에서 설명하는 지형은?

· 빗물이나 지하수가 석회암을 녹이면서 형성된다.
· 내부에서 종유석, 석순, 석주 등을 볼 수 있다.

① 융기 ② 카르스트 ③ 석호 ④ 선상지

정답 : 1. ③ 2. ① 3. ② 4. ③ 5. ③ 6. ② 7. ④ 8. ① 9. ④ 10. ②

04 다양한 세계, 다양한 문화

1 다양한 문화 지역

(1) 문화의 의미와 특징

1) **의미** : 어떤 지역이나 집단의 종교, 언어, 의 · 식 · 주 등을 포함하는 공통된 생활양식

2) **특징**

① 지역마다 서로 다른 다양한 문화가 나타남

② 다른 지역과의 문화 교류를 통해 변화하고 발달함

3) **문화 지역**

① 의미 : 언어, 종교, 인종, 풍습 등이 비슷한 지역을 묶은 공간적 범위

② 특징

- 다양한 기준에 따라 달라짐
- 최근 교통 · 통신의 발달, 사람 및 물자의 교류 확대로 구분이 약해지고 있음

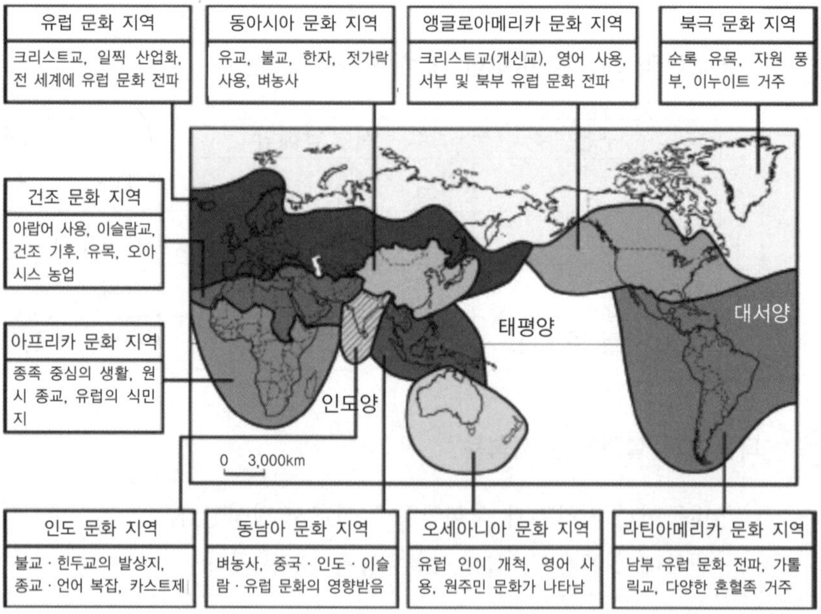

(2) 문화의 지역 차

1) 자연 환경에 따른 문화의 지역 차

① 원인 : 자연 환경에 적응하거나 이를 이용하는 방식이 지역마다 다르기 때문

② 사례

- 열대 기후 : 얇고 간단한 옷, 지붕이 급경사, 고상 가옥 등
- 건조 기후 : 온 몸을 감싸는 옷, 흙집, 게르 등
- 냉대 · 한대 기후 : 털 옷, 가죽 옷, 고상 가옥 등

2) 인문 환경에 따른 문화의 지역 차

① 원인 : 종교, 제도, 산업 등이 지역마다 다르기 때문

② 사례

- 종교 : 종교는 지역의 의식주 생활이나 행동양식에 많은 영향을 줌

크리스트교	십자가를 세운 성당이나 교회, 크리스마스 행사, 부활절 등
이슬람교	모스크, 쿠란, 돼지고기 금지, 하루 다섯 번 기도 등
불교	사찰, 불상, 탑, 연등행사 등
힌두교	소를 숭배하며 소고기 먹지 않음, 카스트제도, 갠지스 강에서 목욕 등

- 산업 : 발달한 지역은 높은 건물과 현대적인 생활양식을 하며, 발달하지 못한 지역은 전통적인 생활양식을 유지하는 경우가 많음
- 제도나 관습 등의 차이 : 결혼이나 장례 문화도 다르게 나타남

2 세계화와 문화 변용

(1) 문화 변용

1) 의미 : 문화 전파로 외부에서 새로운 문화가 들어오면서 기존 문화가 변하는 현상

2) 원인 : 사람들의 이동과 교류, 대중매체, 인터넷 등

3) 변화

① 문화 융합 : 기존 문화와 융합하여 새로운 문화를 창조

② 문화 공존 : 기존 문화와 새로운 문화가 함께 존재

③ 문화 동화 : 전파된 문화에 동화되어 고유한 문화적 특성이 소멸

(2) 세계화에 따른 문화 변용

1) 문화의 세계화

① 의미 : 세계화에 따라 세계 각 지역의 문화가 비슷해지는 현상

② 영향

- 긍정 : 전 세계의 사람들이 비슷한 문화를 함께 즐길 수 있고, 새로운 문화를 창조함
- 부정 : 문화의 획일화 예 청바지, 패스트푸드, 커피 전문점 등

▲ 청바지 착용

▲ 양복과 넥타이 차림

▲ 세계적인 커피 브랜드 전문점

▲ 할리우드 영화

2) 세계화에 따른 문화 변용의 특징

① 문화의 융합

- 의미 : 특정 지역의 문화와 융합이 되어 새로운 문화가 나오기도 함
- 사례 : 돌침대, 라이스 버거, 불고기 피자 등

② 문화의 동질화

- 의미 : 전세계적으로 같은 문화를 공유하는 현상
- 사례 : 청바지, 커피 전문점 등

3 문화의 공존과 갈등

(1) 문화의 공존

1) 의미 : 같은 지역 내에서 다른 문화가 함께 조화를 이루면서 함께 형성

2) 사례

- 미국 : 다양한 인종과 민족이 어울려 살아감

- 스위스 · 싱가포르 : 4개의 공용어를 사용함 ⇒ 다민족으로 구성되어 있음
- 우리나라 : 유교, 불교, 크리스트교, 민간 신앙 등이 공존하고 있음

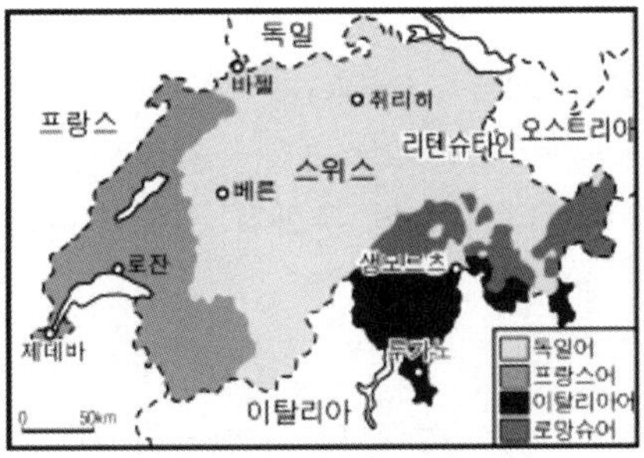

▲ 스위스의 다양한 언어

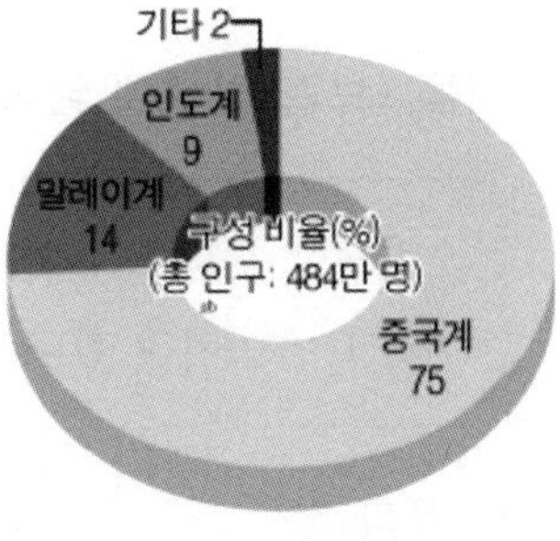

▲ 싱가포르의 민족별 인구 구성

(2) 문화의 갈등

1) **의미** : 서로 다른 특성(언어, 종교 등)으로 문화적 갈등이 일어나기도 함

2) **사례**

① 언어

- 캐나다 퀘벡주 : 영어와 프랑스어를 사용하는 사람들 간의 갈등(분리 독립 요구)
- 벨기에 : 네덜란드어를 사용하는 북부와 프랑스어를 사용하는 남부 간의 갈등
- 미국 남서부 : 에스파냐어를 사용하는 히스패닉계 인구 증가에 따른 문제

② 종교

- 카슈미르 : 힌두교와 이슬람교의 갈등
- 팔레스타인 : 유대교와 이슬람교의 갈등
- 나이지리아 : 이슬람교와 크리스트교 간의 종교 갈등

3) **갈등의 극복 방안**

① 갈등의 원인 : 상대방의 문화를 인정하지 않고 자신의 문화만을 인정하는 태도

② 갈등 극복을 위한 노력

- 문화 상대주의적 태도 : 다양한 문화를 인정하고 각각의 고유한 삶의 방식을 존중
- 자신의 문화를 상대방에게 강요하지 않아야 함
- 소수의 문화도 존중해야 함

Exercises

01 **다음 〈보기〉의 A에 들어갈 용어는?**

〈보기〉

비슷한 문화 요소를 공유하거나 유사한 문화적 특성이 나타나는 공간적 범위를 (A)이라 한다.

① 문화 경관 ② 문화 지역(문화권)

③ 문화 변용 ④ 문화 갈등

02 **한국, 일본, 중국 등 동부 아시아 지역의 문화적 공통점으로 볼 수 <u>없는</u> 것은?**

① 한자 문화권 ② 불교의 영향

③ 유목의 전통 ④ 유교적 가치관

03 **다음 〈보기〉에 해당하는 문화 지역은?**

〈보기〉

· 둥근 지붕과 뾰족한 탑으로 이루어진 모스크
· 하루에 다섯 번씩 메카를 향해 기도함
· 돼지고기를 금기시하여 먹지 않음

① 이슬람교 문화 지역 ② 크리스트교 문화 지역

③ 불교 문화 지역 ④ 힌두교 문화 지역

04 **다음과 관계있는 문화권은?**

· 인도 · 카스트 제도 · 자연 숭배의 다신교

① 불교 문화권 ② 힌두교 문화권

③ 이슬람교 문화권 ④ 크리스트교 문화권

05 **문화 융합의 사례로 보기 어려운 것은?**

① 돌침대　　② 라이스 버거
③ 불고기 버거　　④ 피자

06 **다음 〈보기〉의 내용을 통해 알 수 있는 것은?**

〈보기〉

· 문화의 세계화에 따라 전 세계적으로 비슷한 문화가 나타나는 현상이다.
· 사례 : 청바지의 확산, 패스트푸드의 확산

① 문화 변용　　② 문화 갈등
③ 문화의 획일화　　④ 문화 동화

07 **다음 〈보기〉의 (가), (나)에 나타난 문화적 갈등의 원인을 옳게 연결한 것은?**

〈보기〉

(가) 팔레스타인 지역에서는 유대교와 이슬람교 간의 갈등이 나타난다.
(나) 벨기에는 네덜란드어를 사용하는 북부 지역과 프랑스어를 사용하는 남부 지역 간의 갈등이 나타난다.

	(가)	(나)		(가)	(나)
①	자원	언어	②	종교	언어
③	종교	자원	④	언어	종교

08 **다음 〈보기〉의 내용을 통해 알 수 있는 것은?**

〈보기〉

커리는 남부 인도 요리에서 유래되었는데, 향신료를 갈아 만든 가루를 고기, 과일, 채소와 함께 요리한 것이다. 영국에서는 커리를 영국인의 입맛에 맞게 순화해 부드러운 맛의 양념으로 정착하였고, 일본에서는 커리(카레)를 밥 위에 얹어서 먹는 카레라이스를 개발하였다.

① 문화 변용　　② 문화 갈등
③ 문화의 획일화　　④ 문화 동화

09 **문화가 공존하는 사례로 가장 알맞은 것은?**

① 캐나다의 퀘벡주는 분리 독립을 원한다.

② 자신의 문화를 상대방에게 강요한다.

③ 싱가포르에서는 영어와 중국어로 발행된 신문을 볼 수 있다.

④ 다른 문화와의 교류를 단절하여 전통 문화를 유지한다.

10 **다음 내용과 가장 관계 깊은 것은?**

· 한국어 기초 강좌 개설
· 외국인 상담 및 취업 알선 사업
· 결혼 이주 여성을 위한 법률 정보 제공

① 고령화 문제가 심각해지고 있다.

② 통일의 필요성이 강조되고 있다.

③ 문화적 갈등이 심화되고 있다.

④ 다문화 사회 정책이 다양하게 실시되고 있다.

11 **문화적 갈등을 극복하고 공존하기 위한 가장 바람직한 방안을 〈보기〉에서 고르면?**

〈보기〉

ㄱ. 다수 사람의 언어를 따르도록 법으로 정한다.
ㄴ. 자신의 문화를 상대방에게 강요하지 않아야 한다.
ㄷ. 문화적 요소의 다양성을 인정하고 존중하는 자세가 필요하다.
ㄹ. 소수의 문화를 없애 갈등을 줄인다.

① ㄱ, ㄴ　　② ㄱ, ㄷ

③ ㄴ, ㄷ　　④ ㄴ, ㄹ

정답 : 1. ② 2. ③ 3. ① 4. ② 5. ④ 6. ③ 7. ② 8. ① 9. ③ 10. ④ 11. ③

05 지구 곳곳에서 일어나는 자연재해

1 자연재해 발생지역과 주민 생활

(1) 자연재해

1) **의미** : 인간생활에 피해를 주는 자연 현상

2) **종류**

- 기상 현상에 의한 재해 : 홍수, 가뭄, 태풍, 폭설, 풍수해 등
- 지각 변동에 의한 재해 : 지진, 지진해일(쓰나미), 화산활동 등

(2) 기상 현상에 의한 재해

1) **홍수**

① 의미 : 많은 비로 하천이나 호수의 물이 넘쳐 발생하는 재해

② 원인

- 자연적 원인 : 집중호우, 태풍, 장마 등
- 인위적 원인 : 도시화, 산업화로 포장 면적 증가, 하천의 직선화 공사 등

③ 발생 지역 : 아시아의 계절풍 기후 지역, 큰 강 하류 저지대, 열대 저기압의 영향을 받는 지역 등

④ 기능

- 나쁜 기능 : 저지대의 가옥, 농경지 등이 물에 잠기는 등 많은 피해 발생
- 좋은 기능 : 가뭄 문제가 해결되며, 토양에 영양분을 공급하여 땅을 비옥하게 함

2) **가뭄**

① 의미 : 강수량이 부족하여 물 부족현상이 나타나는 재해

② 특징 : 서서히 진행되며, 피해 지역이 광범위하다.

③ 피해 : 각종 용수 부족, 농작물 생산량 감소, 난민 증가 등

3) **열대 저기압**

① 의미 : 적도 부근 해상에서 형성되어 중위도 지역으로 이동하면서 강한 바람과 많은 비를 동반함

② 명칭 : 태풍, 사이클론, 허리케인 등으로 발생하는 지역에 따라 명칭이 다름

③ 기능

- 나쁜 기능 : 많은 비와 강한 바람으로 피해가 발생하며, 홍수 등의 자연 재해가 발생

- 좋은 기능 : 가뭄 및 더위를 식혀주며, 바닷물을 순환시켜 적조 현상을 완화시켜줌

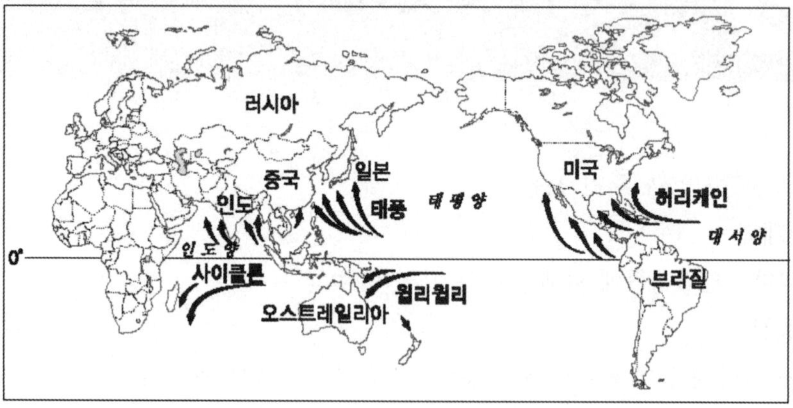

(3) 지각 변동에 의한 재해

1) 지진

① 의미 : 지구 내부에너지가 지표면에 전달되면서 땅이 갈라지거나 흔들리는 현상

② 피해 : 각종 시설물 붕괴, 화재 발생, 산사태 등

③ 주민 생활 : 내진 설계, 지진 예보체계구축, 지진 대피 훈련 등

2) 화산 활동

① 의미 : 지구 내부의 마그마가 지각의 약한 부분을 뚫고 지표로 분출되는 현상

② 피해 : 농경지와 각종 시설물에 피해, 화산재로 인한 기온 하강, 항공 교통 장애 등

③ 주민 생활

- 화산재(토)가 쌓인 토양은 비옥하여 농업에 유리
- 독특한 화산 지형과 온천 등의 관광산업이 발달함
- 지열을 이용하여 전기를 생산

※ 지진과 화산 활동 발생 지역

- 발생 지역 : 주로 지각판의 경계부근인 조산대에서 발생
- 대표 지역 : 환태평양 조산대, 알프스 · 히말라야 조산대

3) 지진해일(쓰나미)

① 의미 : 지진과 화산 활동이 바다 밑에서 일어나면 해수면이 급격히 상승하여 바닷물이 일시적으로 높은 파도와 함께 해안지역에 큰 피해를 주는 현상

② 특징 : 속도가 매우 빠르며 수천Km 떨어진 먼 곳까지 영향을 줌

2 인간 활동과 자연재해

(1) 인간과 자연재해

1) 자연재해 특징

① 대부분의 자연재해는 인간의 힘으로 조절할 수 없음

② 자연재해의 피해는 인간의 활동으로 피해가 줄어들거나 늘어날 수도 있음

2) 인간의 활동과 자연재해

① 최근 산업화와 도시화 등에 따라 인간이 자연환경에 많은 영향을 주어 자연재해 발생 빈도가 많아지고 피해 규모 또한 커지고 있음

② 자연재해로 인한 피해는 재해 예방 능력에 따라 다르게 나타남

3) 인간의 활동과 홍수와 사막화

① 홍수

- 도시화로 인한 녹지공간의 감소 및 포장 면적 증가는 빗물이 토양에 흡수되지 못하고 하천으로 빠르게 흘러들어 홍수 피해가 발생함
- 하천의 물길을 직선으로 바꾸어 하류 지역에 급격히 늘어난 물로 홍수 피해 발생함

② 사막화

- 의미 : 초원지대가 사막으로 변하는 현상
- 원인 : 가뭄, 인간의 지나친 방목과 농경지 개발, 무분별한 삼림 벌채 등
- 대표 : 사헬지대, 중국 내륙의 건조 기후, 아랄해 주변 등

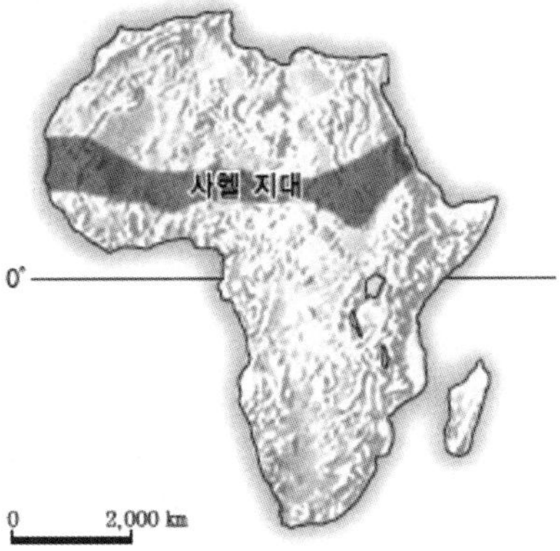

▲ 사막화 현상 – 사헬지대

(2) 자연재해의 피해 줄이기

1) 기상에 의한 재해 대책

① 홍수 및 가뭄

- 다목적 댐, 저수지 등 저수 및 배수시설과 제방 시설 마련
- 숲을 가꾸어 녹색 댐의 역할을 할 수 있게 함

② 열대 저기압

- 발생 시기와 이동 경로 등을 예측 통보하고 때에 따라서는 대피도 시킴
- 배수시설과 제방 시설을 정비

2) 지각 변동에 의한 재해 대책

① 지진

- 예보 체계 구축
- 내진 설계 의무화
- 대피 훈련 및 복구 체계 마련

② 화산 활동

- 화산 폭발 예측 시스템 구축
- 방호벽 설치 또는 인공 하천 조성
- 대피 훈련 및 복구 체계 마련

01 다음 〈보기〉의 내용 중 기상에 의한 자연재해를 고른 것은?

〈보기〉

A. 가뭄　　B. 산사태　　C. 화산 활동
D. 홍수　　E. 폭염　　F. 지진

① A, D, E　② B, C, F　③ A, B, F　④ B, C, E

02 다음 내용과 관련되는 자연 재해는?

<학교에서의 ○○ 대피 행동 요령>

- 책상 밑에 들어가 몸을 웅크린다.
- 넘어지는 선반이나 책장으로부터 멀리 피하여 몸을 보호한다.
- 선생님의 지시에 따라 행동하고, 침착하게 운동장으로 대피한다.

① 가뭄　② 폭염　③ 지진　④ 황사

03 다음 내용과 관련되는 자연 재해는?

2011년 ○월 ○일

(㉠)이/가 남기고 간 상처

2011년 3월 일본 동북부 지역 앞 바다에서 강진이 발생하여 100m가 넘는 거대한 파도가 해안 지역을 덮쳤다. 이로 인해 막대한 인명, 재산 피해를 입었다.

① 가뭄　② 폭설　③ 지진　④ 지진 해일

04 다음에서 설명하는 자연재해는?

· 적도 부근 해상에서 발생해 중위도 지방으로 이동하는 열대저기압
· 2005년 '나비'의 영향으로 많은 인명 · 재산 피해 발생
· 강한 바람과 많은 비를 동반함

① 지진　② 태풍　③ 화산　④ 가뭄

05

다음 A에 들어갈 자연재해는?

인도네시아는 지각이 불안정하여 (A)이 자주 발생한다. 그러나 (A)에 의해 발생한 화산토는 토양을 비옥하게 만들어 주기 때문에 벼농사에 도움을 준다.

① 지진 ② 지진 해일 ③ 화산 활동 ④ 가뭄

06

다음 A, B에 들어갈 내용으로 옳은 것은?

· 자연재해는 발생 원인에 따라 크게 기상현상에 의한 재해, (A)변동에 의한 재해로 나눌 수 있다.
· 기상현상에 의한 재해는 (B) 등이 있으며, (A)변동에 의한 재해에는 화산 활동, 지진 해일 등이 있다.

	(A)	(B)
①	지각	지진
②	기후	지진
③	기후	홍수
④	지각	홍수

07

다음에서 설명하는 자연재해는?

· 짧은 시간에 비가 집중적으로 내리거나 장시간 지속적으로 비가 내려 하천의 물이 흘러 넘치는 현상
· 계절풍의 영향을 받아 집중 호우가 내리는 지역에서 자주 발생

① 홍수 ② 가뭄 ③ 지진 ④ 폭설

08

지도에 검게 표시된 지역의 특징으로 알맞은 것은?

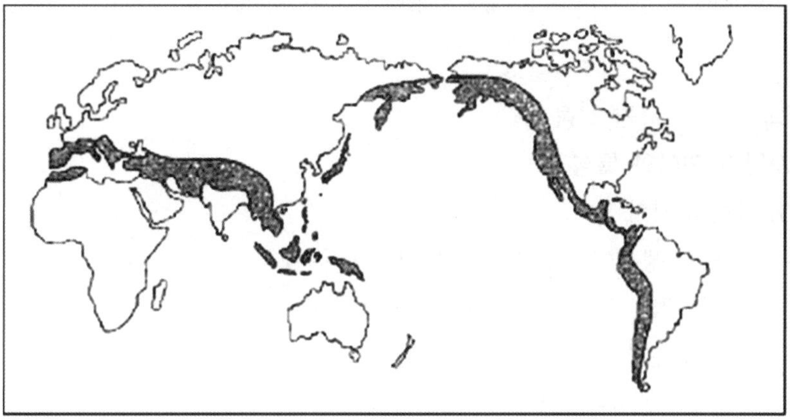

① 지진 발생이 빈번함
② 하천 퇴적 지형의 발달
③ 해발 고도가 낮은 산지
④ 철광석의 매장량이 많음

09

지도에 표시된 사헬지대에 나타나는 자연재해는?

① 풍수해
② 화산 폭발
③ 오존층 파괴
④ 사막화 현상

10

자연재해와 그 대책이 바르게 연결된 것은?

	자연재해	대책
①	가뭄	제방 쌓기
②	홍수	하천 주변 홍수터 건설
③	가뭄	대피 훈련 실시
④	홍수	내진 설계 강화

정답 : 1. ① 2. ③ 3. ④ 4. ② 5. ③ 6. ④ 7. ① 8. ① 9. ④ 10. ②

06 자원을 둘러싼 경쟁과 갈등

1 자원의 의미와 자원 갈등

(1) 자원의 의미와 특성

1) 자원의 의미

- 인간 생활에 유용하게 사용되는 모든 것
- 기술적 · 경제적으로 개발이 가능한 것

2) 자원의 분류

① 의미에 따른 분류
- 좁은 의미의 자원 : 천연 자원
- 넓은 의미의 자원 : 천연 자원 + 인적 자원 + 문화적 자원

② 재생 가능성에 따른 분류
- 재생(순환) 가능 자원 : 태양열(광), 조력, 풍력, 지열 등
- 재생 불가능한(고갈) 자원 : 석유, 석탄, 천연가스 등

3) 자원의 특성

① 가변성 : 자원의 의미와 가치가 기술발달, 산업화, 사회 · 문화적 배경에 따라 변함
  예 석유는 옛날에는 검은 물 ⇒ 오늘날 중요한 에너지 자원

② 유한성 : 사용할 수 있는 자원의 매장량은 한정
  예 석유는 약 40년간 쓸 수 있다.

③ 편재성 : 자원의 분포가 특정 지역에 집중
  예 석유는 페르시아만 연안(서남아시아)에 집중 매장

(2) 자원의 분포

1) 에너지 자원

① 석탄
- 산업혁명의 원동력
- 제철공업이나 화력발전 시 연료로 이용
- 여러 지역에 비교적 고른 분포

② 석유
- 수송용 연료, 석유화학 공업의 이용
- 페르시아만 연안(서남아시아)에 집중 매장

③ 천연가스
- 냉동액화 기술과 수송수단의 발달로 이용량 증가
- 대기오염 물질의 배출이 비교적 적어 청정에너지라고 불림

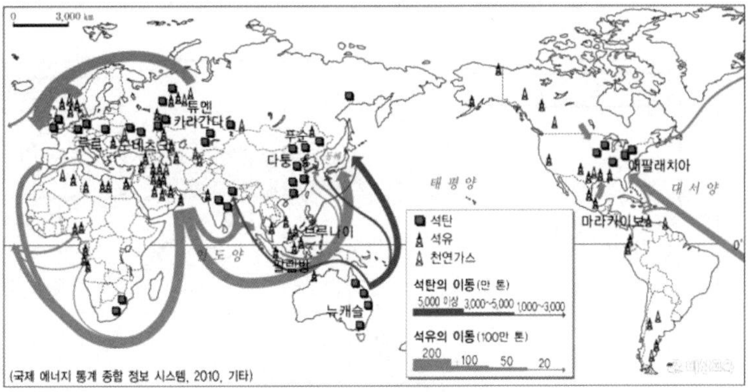

▲ 석탄과 석유의 분포와 이동 그림

2) 식량 자원
① 쌀 : 주로 아시아의 고온다습한 환경에서 생산 및 소비
② 밀 : 재배 지역이 넓고, 소비지역 또한 넓음
③ 옥수수 : 사료용 작물로 많이 사용, 최근 바이오 연료로 사용함
④ 최근 경향 : 기상 이변에 따른 농작물의 생산량 감소와 공급 불균형 ⇒ 식량 자원 확보를 둘러싼 경쟁이 치열해짐

3) 물 자원
① 특징 : 인간 생활에 필수적이며, 대체 할 수 있는 자원이 없음
② 분포 : 적도 지방은 물 자원이 풍부하나 사막과 그 주변 지역은 부족함

(3) 자원을 둘러싼 갈등

1) 갈등의 원인
① 자원의 편재성 : 인간 생활에 필요한 석유, 물 등의 자원이 일부 지역에 집중 분포함
② 자원의 소비량 증가 : 인구 증가, 경제 발전 등
③ 자원의 유한성 : 사용할 수 있는 자원의 매장량은 한정되어 있어 고갈 문제 발생
④ 자원 민족주의
㉠ 의미 : 자원을 보유한 국가들이 자원을 무기로 삼아 자국의 이익을 극대화하고 국제 사회에서 영향력을 확대하려는 태도
㉡ 대표 : 석유 ⇒ 석유 수출국 기구(OPEC) 결성

2) **대표적 갈등**

① 석유 자원

㉠ 분포 : 페르시아만 연안 등 특정 지역에 집중 분포

㉡ 주요 갈등 지역 : 페르시아만 연안, 기니만 연안, 카스피해, 북극해 등

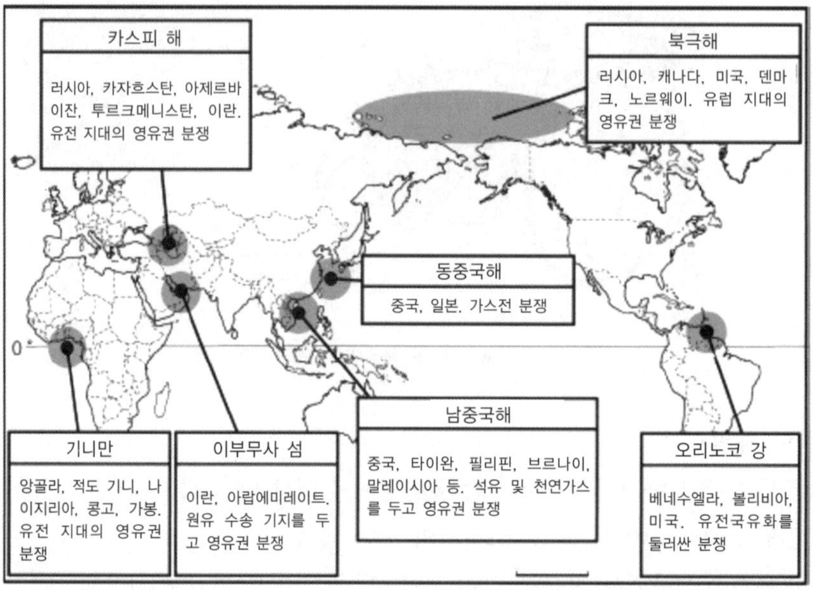

② 물 자원

㉠ 갈등 원인 : 물 소비량 증가, 물 자원의 편재성 등

㉡ 갈등 특징 : 국제 하천을 둘러싸고 상류와 하류 국가 간의 갈등이 일어남

㉢ 대표 지역 : 메콩강, 나일강, 유프라테스 · 티그리스강 등

③ 식량 자원 : 자연조건과 생산 기술 등에 많은 영향을 받음, 인구증가에 따른 수요 증가 ⇒ 식량 공급의 불균형으로 가격이 폭등 ⇒ 식량 확보를 둘러싼 갈등 발생

2 자원과 주민생활

(1) 자원 개발의 영향

1) **긍정적** : 자원을 이용한 산업 발달 및 자원 수출 ⇒ 일자리 증가, 생활수준 향상

2) **부정적** : 환경파괴와 오염, 소유권을 둘러싼 갈등, 불평등한 소득 분배

(2) 자원이 풍부해서 잘사는 국가

1) **사우디아라비아, 쿠웨이트 등** : 석유 수출로 인한 경제 발전 ⇒ 국민의 생활수준 향상

2) **미국, 캐나다 등** : 넓은 영토 + 풍부한 자원 + 뛰어난 기술력 ⇒ 경제 성장

(3) 자원이 풍부하지만 어려움을 겪는 국가

1) **나이지리아** : 석유 개발과 운반 과정에서 많은 환경 문제가 발생

2) **시에라리온** : 철광석과 다이아몬드의 수출로 인해 소득 불균형이 심해져 내전 발생

3) **콩고 민주 공화국** : 콜탄을 비롯한 광물자원을 둘러싸고 내전 발생

(4) 자원이 부족해도 잘사는 국가

1) **대표 국가** : 한국, 일본, 싱가포르 등

2) **공통점** : 인적 · 문화적 자원을 바탕으로 경제 발전

3 지속 가능한 자원 개발

(1) 지속 가능한 자원(신재생 에너지)

1) **의미** : 계속 이용해도 고갈의 염려가 없으며, 이용 과정에서 폐기물이나 오염물질의 배출이 없거나 매우 적기 때문에 지구환경에 부담을 주지 않는 친환경적 자원

2) **종류**

① 태양광(열) 에너지 : 태양을 에너지원으로 전력을 생산함

② 조력 에너지 : 밀물과 썰물의 차를 이용하여 전력을 생산함

③ 풍력 에너지 : 강한 바람의 힘을 이용하여 전력을 생산함

④ 지열 에너지 : 지하의 열을 이용하여 전력을 생산함

⑤ 바이오 에너지 : 동 · 식물의 유기물을 분해하여 전력을 생산함

※ 우리나라의 사례

· 풍력발전 : 대관령, 제주도 일대

· 조력발전 : 시화호 조력 발전소

· 태양광 발전 : 호남 및 경북 일대

(2) 지속 가능한 자원의 특징

1) **장점**

① 오염물질의 배출이 적어 환경 친화적임

② 재생이 가능하여 고갈되지 않음

③ 전 세계에 고르게 분포

2) 단점

① 대량생산이 어렵고 화석연료에 비해 경제성이 떨어짐

② 초기 개발 비용이 많이 발생함

③ 저장과 수송이 쉽지 않음

풍력 에너지 : 바람의 힘을 이용하는 에너지로, 날씨에 따라 이용할 수 있는 에너지의 양이 달라진다. 풍력 발전에는 풍력이 매우 강하고 연중 바람이 불어오는 해안이나 섬 또는 고원 지역이 유리하다.

바이오 에너지 : 동 · 식물에서 얻는 에너지로, 옥수수와 해바라기 등을 많이 이용한다.

태양열 에너지 : 햇볕을 이용하는 에너지로, 일조 시간이 길고 맑은 날이 많은 지역일수록 이용에 유리하다.

지열 에너지 : 지하수나 지하의 열을 이용하여 전기를 생산하거나 냉난방에 이용하는 것으로 화산 지대에서 많이 활용한다.

조류 에너지 : 조류의 빠르기를 이용하여 에너지를 생산한다.

Exercises

01 **자원에 대한 설명으로 옳지 않은 것은?**

① 지구상에 고르게 분포한다.

② 매장량은 한정되어 있다.

③ 지역 간 이동이 활발하다.

④ 국가 간 갈등의 원인이 되기도 한다.

02 **다음에서 설명하는 자원은?**

· 자원의 가치는 기술, 경제적 수준, 사회 · 문화적 배경에 따라 변화한다.
· 대표적 : 검은 물 ⇒ 중요자원
· 분포 : 서남아시아 지역에 집중 분포

① 석탄 ② 원자력 ③ 석유 ④ 천연가스

03 **다음 그림의 화살표는 어떤 자원의 이동을 나타내는가?**

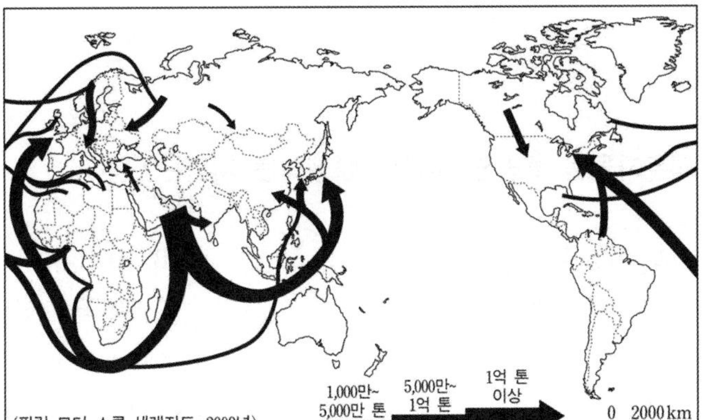

(필립 모던 스쿨 세계지도, 2009년)

① 석유 ② 석탄 ③ 원자력 ④ 천연가스

04 **다음에서 설명하는 식량 자원은?**

- 최근 사료 작물이나 바이오 에너지의 원료로 이용되어 소비량이 증가하고 있다.
- 미국, 아르헨티나 등이 주요 수출국이다.

① 밀 ② 쌀 ③ 보리 ④ 옥수수

05 **다음에서 설명하는 식량 자원은?**

- 계절풍 기후 지역의 평야 지역에서 재배
- 생산지와 소비지가 일치하여 국제 이동량 적음
- 주요 수출국 : 타이, 베트남

① 보리 ② 쌀 ③ 밀 ④ 옥수수

06 **석유자원을 둘러싼 갈등이 발생하는 지역은?**

A. 메콩강 B. 카스피해
C. 시에라리온 D. 북극해 연안

① A, B ② B, C
③ B, D ④ A, D

07 다음 밑줄 친 이 나라들에 해당하는 국가를 〈보기〉에서 고르면?

> 이 나라들은 자원은 풍부하지만 자원에 대한 인식과 자본이 부족하고, 자원을 개발할 수 있는 기술 수준이 낮아 경제 발전을 이루지 못하였다.

〈보기〉

A. 대한민국　　B. 나이지리아
C. 시에라리온　　D. 오스트레일리아

① A, B　　② B, C
③ C, D　　④ B, D

08 다음 사례에 해당하는 국가는?

> 1970년대 북해 유전 개발로 인해 석유로 창출된 부를 국가가 직접 관리하여 국민연금을 조성하고 기업의 윤리적 투자를 강조하는 등 성장과 복지 정책을 동시에 이뤄내어 자원을 무분별하게 휘두르지 않고 현명하게 사용한 모범을 보여 준 자원 강국의 대표적인 국가이다.

① 독일　　② 프랑스
③ 오스트레일리아　　④ 노르웨이

09 다음에서 설명하는 에너지 자원에 해당하는 것을 〈보기〉에서 고른 것은?

> 재생가능한 자원을 변환하여 이용하는 에너지로, 환경 친화적이며 고갈되지 않는다는 특징이 있다.

〈보기〉

ㄱ. 천연가스　　ㄴ. 조력　　ㄷ. 석유　　ㄹ. 풍력

① ㄱ, ㄷ　　② ㄱ, ㄹ　　③ ㄴ, ㄷ　　④ ㄴ, ㄹ

10 **다음 〈보기〉에서 설명하는 에너지는?**

〈보기〉

식물, 동물, 미생물 등의 생물체를 활용하여 얻은 에너지이다.

① 풍력 에너지 ② 조력 에너지

③ 바이오 에너지 ④ 원자력 에너지

11 **다음 내용에 해당하는 발전 방법은?**

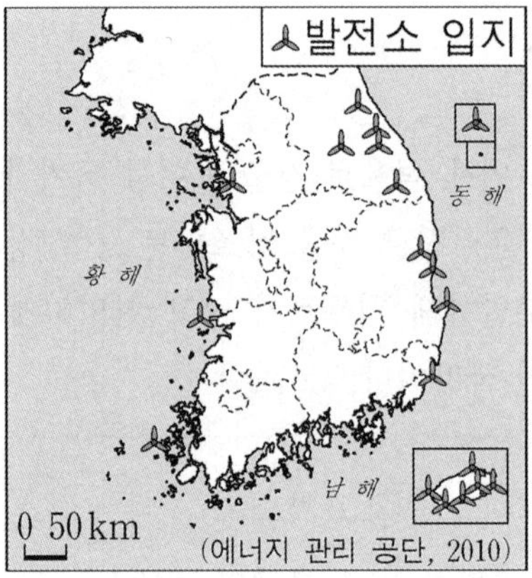

· 산지나 해안 등 바람이 강하고 자주 부는 지역이 입지에 유리하다.

· 제주도, 대관령 등의 지역에 발전 단지가 조성되어 있다.

① 조력 발전 ② 지열 발전

③ 수력 발전 ④ 풍력 발전

정답 : 1. ① 2. ③ 3. ① 4. ④ 5. ② 6. ③ 7. ② 8. ④ 9. ④ 10. ③ 11. ④

07 개인과 사회생활

1 사회화와 청소년기

(1) 사회화

1) 의미 : 자신이 속한 사회에서 살아가는 데 필요한 지식, 가치, 행동 등을 학습하고 내면화 하는 과정

2) 기능

① 개인적 측면 : 사회 구성원으로 성장 및 자아 형성

② 사회적 측면 : 사회의 규범과 가치 등을 다음 세대에 전달함으로써 사회를 유지하고 발전시킴

3) 사회화 기관

① 가정 : 1차적 사회화 기관이며 가장 기초적인 사회화 기관으로 언어 · 예절 등 기본적인 생활 습관 등을 배움

② 또래집단 : 친구들과 놀이를 통해 규칙과 질서 등을 배우고 자신들만의 문화를 형성하여 소속감과 심리적 안정을 추구함

③ 학교 : 2차적 사회화 기관이며 지식, 기술, 규범 등을 공식적 · 체계적으로 배움

④ 대중매체 : 새로운 정보를 제공하며 현대 사회에서 큰 영향력을 행사함

⑤ 회사 : 업무에 필요한 지식 습득

4) 재사회화

① 의미 : 변화하는 환경에 적응하기 위해 새로운 지식과 생활양식 등을 학습하는 과정

② 사례 : 노인들의 컴퓨터 및 인터넷 교육 등

(2) 청소년기와 자아 정체성

1) 청소년기

① 의미 : 아동기와 성인기의 과도기적 시기로 신체적으로 급격히 성장할 뿐만 아니라 정신적 · 사회적으로 성숙해짐

② 표현 : 질풍노도의 시기, 이유 없는 반항기, 심리적 이유기, 주변인 등

2) 자아 정체성

① 의미 : "나는 누구인가?"라는 물음을 끊임없이 반복하여 답을 찾는 과정으로 다른 사람들과 구별되는 자신만의 독특한 모습

② 청소년과 자아 정체성

- 자아 정체성은 주로 청소년기에 형성됨
- 청소년기에 자아 정체성이 어떻게 형성되는지에 따라 개인의 삶에 큰 영향을 끼침

③ 올바른 자아 정체성 확립 : 자신을 소중히 여기고 삶의 목표를 탐구하려 노력해야 함

2 사회적 지위와 역할

(1) 사회적 지위

1) **의미** : 개인이 사회적 관계 속에서 차지하는 위치

2) **종류**

① 귀속 지위 : 선천적으로 갖게 되는 지위

[예] 아들, 딸, 왕, 노비 등

② 성취 지위 : 개인의 능력이나 노력으로 얻어지는 지위

[예] 의사, 검사, 아빠 등

3) **특징**

① 개인은 여러 개의 지위를 가짐

② 전통사회에서는 귀속 지위가 중요했지만, 현대사회에서는 성취 지위가 중요해짐

(2) 역할과 역할 갈등

1) **역할**

① 의미 : 지위에 따라 기대되는 행동 양식

② 역할의 수행

- 역할을 제대로 수행한 경우 : 칭찬이나 상과 같은 보상을 받을 수 있음
- 역할을 제대로 수행하지 못한 경우 : 비난이나 처벌 등의 제재를 받음

2) **역할 갈등**

① 의미 : 한 개인이 가지는 둘 이상의 지위에 따른 역할들이 충돌하는 것

② 합리적 해결 방법 : 역할 간의 우선순위를 정하여 가장 중요한 것부터 수행

3 사회 집단

(1) 사회 집단

1) **의미** : 두 사람 이상이 소속감과 공동체 의식을 가지고 지속적인 상호작용을 하는 집단

[예] 가족, 학교, 또래 집단, 회사 등

2) 분류

① 접촉 방식

- 1차 집단 : 대면접촉과 전인격적 관계 형성인 집단(가족, 또래집단 등)
- 2차 집단 : 특정 목적 달성을 위해 인위적으로 형성된 집단(학교, 회사 등)

② 소속감

- 내집단 : 소속감과 공동체 의식이 강한 집단(우리나라, 우리 학교 등)
- 외집단 : 이질감과 적대감을 느끼는 집단

③ 결합 의지

- 공동사회 : 의지와 상관없이 자연적으로 구성된 집단
- 이익사회 : 목적의식을 가지고 자신의 의지에 따라 구성된 집단

3) 준거 집단

① 의미 : 자신의 행동이나 판단의 기준으로 삼고 있는 집단

② 준거 집단과 소속 집단

- 준거 집단과 소속 집단이 일치 : 개인의 만족감 큼
- 준거 집단과 소속 집단이 불일치 : 소속 집단에 불만이 큼

(2) 사회 집단에서의 차별과 갈등

1) 차이와 차별

① 차이 : 서로 같지 않고 다른 것

[예] 성별, 피부색, 외모 등

② 차별 : 차이를 이유로 특정 개인이나 집단을 부당하게 대우하는 것

[예] 인종 차별, 성 차별, 장애인 차별 등

2) 차별의 극복 방안 : 편견과 고정관념 극복, 법제도 마련 등

Exercises

01 **다음에서 설명하는 것에 가장 적절한 단어는?**

> 개인이 속한 사회의 행동양식과 규범 등의 문화를 학습하고, 독특한 개성을 형성해가는 과정을 의미한다.

① 사회화

② 재사회화

③ 자아 정체성

④ 사회적 상호작용

02 **사회화된 행동으로 볼 수 <u>없는</u> 것은?**

① 줄을 서서 버스를 탄다.

② 공공장소에서 떠들지 않는다.

③ 언어를 배운다.

④ 배가 부르면 졸립다.

03 **다음 설명에 해당하는 사회화 기관은?**

> · 사회화가 처음 이루어지는 곳이다.
> · 가장 기본적인 생활 습관을 배우는 곳이다.

① 학교

② 가정

③ 회사

④ 대중 매체

04 **다음에서 설명하는 것에 가장 적절한 단어는?**

> · 다른 사람들과 구별되는 자신만의 고유성을 깨닫고 자신이 누구인지 명확히 이해하는 것이다.
> · "나는 누구인가?"에 대한 물음을 끊임없이 반복하고, 이 물음에 대한 답을 찾아가는 과정에서 형성된다.

① 사회화

② 재사회화

③ 자아 정체성

④ 사회적 상호작용

05 **다음 ㉠~㉣의 지위 중 성격이 다른 하나는?**

> 제 이름은 "신난다"입니다. 저는 ㉠ 한국 과학고등학교 3학년 학생입니다. 큰 오빠 "신선해"는 한국 전자에 다니는 ㉡ 회사원이고, ㉢ 남동생 "신기해"는 중학교 학생입니다. 저는 학교에서는 ㉣ 컴퓨터 동아리 부회장을 맡고 있으며, 장래 희망은 컴퓨터 분야의 전문가입니다.

① ㉠

② ㉡

③ ㉢

④ ㉣

06 **역할갈등의 합리적 해결 방안에 해당하는 것을 <보기>에서 고르면?**

〈보기〉

A. 역할의 우선 순위를 정한다.
B. 갈등의 원인이 해소될 때까지 기다린다.
C. 갈등을 일으키는 지위와 역할을 분석한다.
D. 중요하지 않은 역할부터 차례대로 수행한다.

① A, B ② A, C ③ B, C ④ B, D

07 **(가), (나)에 해당하는 사회 집단의 종류를 바르게 연결한 것은?**

(가) 특정한 목적을 달성하기 위해 형식적이고 수단적인 만남을 바탕으로 만들어진 집단이다.
(나) 자신이 속한 집단이라는 소속감을 가지고 있으면서 우리라는 공동체 의식이 강한 집단으로, '우리 집단' 이라고도 한다.

	(가)	(나)
①	내집단	2차 집단
②	내집단	준거 집단
③	2차 집단	내집단
④	준거 집단	2차 집단

08 **사회 집단에 대한 설명으로 옳지 <u>않은</u> 것은?**

① 소속감 여부에 따라 1차 집단과 2차 집단으로 구분한다.
② 두 사람 이상이 소속감을 가지고 상호 작용을 한다.
③ 사회 집단에 속한 구성원은 집단의 발전에 영향을 미친다.
④ 자신이 속한 집단을 내집단, 속하지 않은 집단을 외집단이라고 한다.

09 차별에 대한 설명으로 옳은 것을 〈보기〉에서 고른 것은?

〈보기〉

ㄱ. 인간의 존엄한 가치를 침해하기도 한다.
ㄴ. 자연스러운 현상이고 인정해야 할 부분이다.
ㄷ. 차별을 없애기 위해 객관적인 차이를 모두 없애야 한다.
ㄹ. 부당한 대우를 받은 사람이나 집단은 소외감을 느낄 수 있다.

① ㄱ, ㄴ　　② ㄱ, ㄹ
③ ㄴ, ㄹ　　④ ㄷ, ㄹ

10 다음 〈보기〉의 밑줄 친 '이 시기'에 해당하는 용어는?

〈보기〉

· 자아 정체성은 주로 이 시기에 형성된다.
· 이 시기는 아동기와 성인기의 과도기에 해당한다.
· 이 시기는 질풍노도의 시기, 제2의 반항기로 불리기도 한다.

① 성인기　　② 아동기
③ 노년기　　④ 청소년기

정답 : 1. ①　2. ④　3. ②　4. ③　5. ③　6. ②　7. ③　8. ①　9. ②　10. ④

08 문화의 이해

1 문화의 의미와 특징

(1) 문화의 의미

1) **좁은 의미** : 세련되고 교양 있는 것, 문학 · 예술 분야 등
   예 문화인, 문화 행사 등

2) **넓은 의미** : 인간이 환경에 적응하면서 만들어낸 공통의 생활양식
   예 전통 문화, 한국 문화 등

3) **문화의 구성 요소** : 물질 문화(옷, 음식, 집 등) + 비물질 문화(관습, 제도, 가치 등)

※ 문화가 아닌 것 : 본능, 체질, 습관, 일시적 행동 등

(2) 문화의 특징

1) **문화의 보편성**

① 의미 : 모든 사회에는 공통적으로 나타나는 문화 현상이 있음

② 사례 : 의식주와 같은 인간의 기본적인 문화, 결혼 혹은 장례의식 등

2) **문화의 다양성**

① 의미 : 서로 환경이나 상황이 다르기 때문에 나름의 생활양식을 만듦

② 사례 : 결혼 혹은 장례 의식이 사회마다 다름, 기후마다 가옥 구조의 형태가 다름

(3) 문화의 속성

1) **학습성**

① 의미 : 문화는 후천적 학습에 의해 습득되는 것

② 사례 : 반복적인 학습을 통해 젓가락 사용, 김치 담그는 방법 등

2) **공유성**

① 의미 : 한 사회의 구성원이 공통적으로 가지는 생활양식 ⇒ 타인의 행동을 예측 가능

② 사례 : 출산의 경우 미역국 혹은 금줄, 설날에 떡국 등

③ 특징 : 타인의 행동을 예측할 수 있고, 그 행동의 의미가 무엇인지도 파악할 수 있다.

3) **축적성**

① 의미 : 학습 능력과 상징체계 등을 이용하여 다음 세대로 전승되면서 새로운 요소가 추가되어 더욱 풍성해지는 것

② 사례 : 김치의 종류가 단순했다가 많아지고 다양한 요리로 즐겨먹음, 자동차 기술이 시대가 지나면서 발전되는 것 등

4) **변동성**

① 의미 : 문화는 고정불변하는 것이 아니라 시간의 흐름에 따라 계속 변화함

② 사례 : 아궁이의 온돌문화 ⇒ 현대의 보일러 방식, 생일에 떡 ⇒ 케익 또는 떡 케익 등

5) **전체성**

① 의미 : 문화의 각 요소들은 상호 밀접한 관련을 맺으면서 전체적으로 하나의 체계를 이룸

② 특징 : 문화의 일부 구성 요소가 변하면 문화의 여러 분야도 동시에 변화됨

③ 사례 : 인터넷 발달이 정치 · 경제 · 교육 · 여가 등 생활 전반에 영향을 줌

2 문화를 이해하는 태도

(1) 자문화 중심주의

1) **의미** : 자신의 문화가 가장 우수한 것이라고 생각하여, 다른 문화를 부정적으로 평가하고 무시하는 태도

2) **기능**

① 장점 : 자기 문화의 자부심 강화 및 자기 집단 구성원들의 결속력 강화 ⇒ 사회통합 기여

② 단점 : 국제적 고립을 가져올 수 있으며, 지나칠 경우 문화 제국주의가 나타남

3) **사례** : 중화사상, 히틀러의 나치즘 등

(2) 문화 사대주의

1) **의미** : 타 문화를 우수한 것으로 믿고 동경하거나 추종하면서 자신의 문화를 열등하다고 여기는 태도

2) **기능**

① 장점 : 다른 문화에 대한 거부감이 약해 외래문화를 쉽게 수용

② 단점 : 자기 문화의 주체성을 상실할 수 있으며, 고유문화가 사라질 수 있음

3) **사례** : 조선시대 “한글은 천하고 한자는 귀하다”고 여김, 1970~80년대 “밥솥은 일제가 최고야” 등

(3) 문화 상대주의

1) **의미** : 문화를 그 사회가 처한 특수한 환경과 사회적 맥락 속에서 이해하는 태도

2) **장점** : 다른 사회의 문화를 편견 없이 객관적으로 이해할 수 있음

3) **주의점** : 보편적 가치를 무시하는 극단적 문화 상대주의는 인정하지 않음

예 순장, 전족, 명예살인 등

3 대중 매체와 대중문화

(1) 대중 매체

1) **의미** : 다수의 사람들에게 대량의 정보를 동시에 전달하는 수단

예 신문, 잡지, 라디오, 텔레비전, 인터넷 등

2) **유형**

① 기존의 대중 매체

- 종류 : 신문, 잡지, 라디오, 텔레비전 등
- 특징 : 일방적 정보 전달, 정보 생산자와 소비자의 명확한 구분

② 새로운 대중 매체(뉴미디어) ⇒ 통신기술의 발달로 등장

- 종류 : 인터넷, 스마트폰, 케이블 TV 등
- 특징 : 쌍방향 의사소통, 정보 생산자와 소비자의 경계 모호 등

(2) 대중문화

1) **의미** : 대중이 손쉽게 접하고 즐기며 누리는 문화

2) **특징**

① 대중화 : 과거 소수의 특권층만 누리던 문화를 누구나 쉽게 접하고 즐김

② 상업성 : 문화상품으로 잘 팔리는 것을 목표로 생산

③ 획일성 : 대중매체를 통해 넓고 빠르게 유통되면서 개성이 상실됨

3) **형성 배경**

① 경제적 요인 : 대량 생산과 대량 소비 ⇒ 문화 소비의 대중화

② 정치적 요인 : 보통 선거 실시 ⇒ 민주주의의 발달

③ 사회적 요인 : 교육 기회의 확대, 대중 매체의 발달 ⇒ 대중의 교양 수준 향상 등

4) **기능**

① 긍정적 기능

- 대중의 문화 수준 향상
- 여가와 오락을 즐김으로써 삶의 질 향상

- 새로운 소식과 다양한 정보 제공
- 신속한 정보를 제공

② 부정적 기능

- 문화의 획일화와 독창성 상실
- 대중 매체의 상업성으로 폭력적이거나 선정적인 내용 ⇒ 저급문화 양산
- 정치적 무관심을 초래할 수 있음

(3) 대중문화를 바라보는 태도

1) **비판적 수용** : 대중문화를 있는 그대로 받아들이기보다는 비판적인 시각으로 바라보고 자신의 관점에서 해석 및 검토해 봐야 함

2) **적극적 참여** : 잘못된 정보를 바로 잡을 수 있도록 적극적인 요구를 해야 함

3) **주체적 활용** : 미디어를 올바르게 활용하려는 자세를 지녀야 함

Exercises

01 **문화의 사례로 볼 수 없는 것은?**

① 추석에 성묘를 한다.
② 친구들과 영화를 본다.
③ 밥을 먹으면 졸립다.
④ 시험을 앞둔 친구에게 엿을 준다.

02 **다음 글이 설명하는 문화의 특징은?**

> 문화는 태어나면서부터 저절로 갖는 것이 아니라 자신이 속한 사회에서 성장하면서 후천적으로 배우고 익히는 것이다.

① 공유성 ② 학습성 ③ 변동성 ④ 축적성

03 **다음 설명과 관련 깊은 용어는?**

> 옷을 입고 음식을 먹으며, 집을 짓고 사는 것과 같이 인간의 기본적인 삶과 관련된 문화는 어느 사회에나 존재한다. 아는 사람을 만나면 인사하는 문화, 결혼 의식이나 장례의식에 관련된 문화도 대부분의 사회에서 찾아볼 수 있다.

① 문화의 보편성
② 문화의 예술성
③ 문화의 특수성
④ 문화의 다양성

04 **다음 내용에 해당하는 문화이해의 관점은?**

> 다양한 문화를 존중하는 태도로 각 문화를 그 사회의 자연적 환경이나 역사적, 사회적 맥락에 비추어 이해하는 관점

① 문화 사대주의
② 문화 제국주의
③ 문화 상대주의
④ 자문화 중심주의

05 다음 내용에 해당하는 문화이해의 관점은?

- 자신의 문화를 우수하다고 보고 다른 문화를 부정적으로 평가하는 태도이다.
- 사례 : 중화사상, 히틀러의 나치즘 등

① 문화 사대주의 ② 문화 제국주의
③ 문화 상대주의 ④ 자문화 중심주의

06 대중 매체에 대한 설명으로 〈보기〉에서 옳은 것만을 고른 것은?

〈보기〉

ㄱ. 문자와 소리만으로 다양한 지식을 전달한다.
ㄴ. 대중문화의 형성과 발전에 큰 영향을 미친다.
ㄷ. 신문, 라디오, 텔레비전만이 해당된다.
ㄹ. 다수의 사람에게 대량의 정보를 동시에 전달한다.

① ㄱ, ㄴ ② ㄴ, ㄷ ③ ㄷ, ㄹ ④ ㄴ, ㄹ

07 다음 내용에 해당하는 문화이해의 관점은?

- 자신의 문화를 무시하거나 낮게 평가하고, 다른 사회의 문화를 더 좋은 것으로 여겨 그것을 동경하는 태도이다.
- 사례 : 자동차는 독일제가 최고야!, 학용품은 일제가 최고야!

① 문화 사대주의 ② 문화 제국주의
③ 문화 상대주의 ④ 자문화 중심주의

08 **대중 매체의 발달 과정을 바르게 나열한 것은?**

① 뉴미디어 – 음성 매체 – 영상 매체 – 인쇄 매체

② 인쇄 매체 – 음성 매체 – 영상 매체 – 뉴미디어

③ 영상 매체 – 인쇄 매체 – 음성 매체 – 뉴미디어

④ 인쇄 매체 – 영상 매체 – 뉴미디어 – 음성 매체

09 **다음 내용에 대한 대중 매체는?**

· 인터넷, 이동통신 등이 해당된다.
· 대중이 직접 정보를 만들고 유통할 수 있게 한다.
· 일방향적인 소통에서 벗어나 쌍방향 의사소통을 가능하게 해준다.

① 뉴미디어

② 인쇄 매체

③ 음성 매체

④ 전통적 대중 매체

10 **다음 내용과 관계 깊은 문화의 속성은?**

· 한 사회의 구성원이 공통적으로 가지는 생활 양식
· 타인의 행동을 예측할 수 있음
· 예 : 출산시 미역국 혹은 금줄, 설날에 떡국 등

① 변동성 ② 축적성

③ 공유성 ④ 학습성

정답 : 1. ③ 2. ② 3. ① 4. ③ 5. ④ 6. ④ 7. ① 8. ② 9. ① 10. ③

09 정치 생활과 민주주의

1 정치와 정치 생활

(1) 정치

1) 정치의 의미

① 좁은 의미 : 정치권력을 획득하고 행사하는 활동 예 정치인들의 활동

② 넓은 의미 : 사회 구성원 간의 대립과 갈등을 조정하여 합의를 이루게 하는 과정
예 학급회의, 주민회의 등

2) 정치의 기능

① 사회 통합 및 질서유지 : 사회 구성원 간의 대립과 갈등을 조정하여 사회를 통합하고 사회 질서 유지

② 사회문제 해결 및 사회발전 방향 제시 : 사회문제의 해결책을 마련하고, 사회가 나가야 할 방향을 제시하기도 하며, 개인의 더 큰 행복을 보장하는 공동체를 만들 수 있음

③ 시민의 다양한 요구를 충족 : 여론을 정책에 반영하여 제도를 개선함

(2) 정치 생활에서 국가와 시민의 역할

1) 국가의 역할

① 정치권력 : 국가 내 다양한 집단이나 개인의 갈등을 해결하고 합의한 내용을 실현하기 위해 국가가 실천하는 강제력의 힘

② 국가의 역할 : 시민의 기본적 권리와 자유를 최대한 보장하면서 사회의 다양한 이해관계를 민주적으로 조정 · 해결해야 함

2) 시민의 역할

① 국가 기관의 감시 및 정책 비판 : 국가 권력이 올바르게 행사하는지 감시하고, 국가 정책에 대한 의견 등을 적극적으로 표현할 수 있어야 함

② 시민의 적극적 참여 : 정치권력이 정당하게 성립되고 올바르게 행사하도록 적극적인 참여가 필요하며, 사회문제 해결에도 적극적으로 참여해야 함

3) 국가와 시민 간의 조화와 균형

① 국가 권력을 강조할 때 : 시민의 기본적 권리와 자유를 보장받기 어려워짐

② 시민의 권리를 강조할 때 : 자신의 이익만을 추구 ⇒ 사회적 갈등이 일어남

2 민주 정치의 의미와 발전

(1) 민주 정치의 의미

1) 어원 : 민중(demos) + 지배(cratia) ⇒ 다수의 사람이 지배(democracy)

2) 의미

① 정치 형태로서의 민주주의 : 다수 시민이 주권을 가지고 나라를 다스리는 정치 형태

② 생활양식으로서의 민주주의 : 민주적 의사 결정 방식이 정치 영역에서 모든 생활 영역으로 확대 [예] 대화와 토론, 양보와 타협, 다수결의 원리 등

(2) 민주 정치의 발전

1) 고대 아테네의 민주 정치

① 정치 모습

· 모든 시민은 민회에서 국가의 정책을 결정함

· 공직자는 추첨이나 윤번으로 선출함

② 특징

– 제한된 민주 정치 : 시민권이 있는 성인 남성만 정치에 참여(제외 : 여성, 어린이, 노예 등)

– 직접 민주 정치 : 모든 시민이 민회에서 국가의 일을 직접 결정함

2) 근대 민주 정치

① 배경 : 시민혁명

– 의미 : 왕이나 귀족에 맞서 시민의 권리와 자유를 찾고자 투쟁한 사건

– 대표적 : 영국의 명예혁명, 미국의 독립혁명, 프랑스 혁명 등

② 특징

– 제한된 민주 정치 : 상공 시민층에게 참정권 확대(제외 : 여성, 노동자, 농민 등)

– 간접 민주 정치 : 시민이 선출한 대표가 의회에서 정책을 결정함

3) 현대 민주 정치

① 배경 : 노동자, 농민, 여성 등이 참정권 및 선거권 확대를 얻기 위해 꾸준히 노력함

② 특징 : 보통 선거 제도를 실시하여 모든 사회 구성원들이 정치에 참여

③ 한계 : 대의정치가 이루어지면서 시민의 의사를 정확하게 반영하기 어려움

(3) 민주주의의 이념과 민주 정치의 기본 원리

1) 민주주의의 이념

① 근본 이념 : 인간의 존엄성 실현

② 실현 방법 : 자유와 평등의 보장
- 자유 : 모든 개인이 타인이나 국가 권력의 부당한 간섭을 받지 않고 자신의 의사대로 판단하여 선택하거나 결정할 수 있는 권리
- 평등 : 모든 사람이 성별, 인종, 재산 등에 의해 부당하게 차별 받지 않고 동등하게 대우를 받는 권리

2) 민주 정치의 기본 원리

① 국민 주권의 원리
- 의미 : 국가의 의사를 결정하는 최고의 권력인 주권이 국민에게 있다는 원리
- 헌법 제 1조 1항 : 대한민국의 주권은 국민에게 있고, 모든 권력은 국민으로부터 나온다.

② 국민 자치의 원리
- 의미 : 주권을 가진 국민이 스스로 다스려야 한다는 원칙
- 실현 방법 : 직접 민주 정치, 간접 민주 정치

③ 입헌주의 원리
- 의미 : 국민의 기본권 보장과 정치권력의 행사가 헌법에 의해 이루어져야 한다는 원리
- 목적 : 국가 권력의 남용을 방지하여 국민의 자유와 권리를 보장하기 위함

④ 권력 분립의 원리
- 의미 : 국가의 기능을 분리하여 권력 기관 상호 간에 견제와 균형을 이루려는 원리
- 목적 : 국가 기관 간 상호 견제와 균형을 통해 국가 권력의 남용을 방지하여 국민의 자유와 권리 보장
- 구분 : 2권 분립과 3권 분립

※ 우리나라 : 3권 분립(입법부, 사법부, 행정부)

3 민주 정치와 정부 형태

(1) 정부 형태의 구분

1) **대통령제** : 입법부와 행정부가 엄격히 분리되어 대통령을 중심으로 국정을 운영

2) **의원내각제** : 입법부와 행정부가 밀접한 관계를 맺고 총리를 중심으로 국정을 운영

(2) 대통령제와 의원내각제 비교

1) 대통령제

① 의미 : 대통령을 중심으로 국정을 운영하는 정부 형태

② 대표 국가 : 미국, 우리나라 등

③ 구성 : 국민이 선거를 통해 대통령과 국회의원을 뽑고, 대통령이 행정부를 구성

④ 특징

- 대통령은 법률안 거부권을 통해 국회에서 의결한 법률을 거부할 수 있음
- 의회는 행정부를 불신임 할 수 없으며, 행정부는 의회를 해산할 수 없음
- 의회는 국정조사나 국정 감사, 탄핵소추권 등으로 행정부를 견제할 수 있음

⑤ 장점

- 대통령의 임기 동안 정국이 안정 ⇒ 정책의 일관성 및 지속적인 정책 수행이 가능
- 의회 다수당의 횡포를 견제할 수 있음

⑥ 단점

- 대통령의 많은 권한 ⇒ 독재 가능성이 있음
- 의회와 행정부가 대립할 경우 해결이 어려움

2) 의원내각제

① 의미 : 총리를 중심으로 국정을 운영하는 정부 형태

② 대표 국가 : 영국, 일본 등

③ 구성 : 국민이 선거를 통해 국회의원을 뽑고, 의회 다수당의 대표가 총리가 되고 의원들을 중심으로 내각을 구성

④ 특징

- 내각은 의회에 법률안을 제출하거나 의회를 해산할 수 있음
- 의회는 내각을 불신임 할 수 있음
- 의회의 의원은 내각의 장관을 겸할 수 있음

⑤ 장점

- 의회와 내각이 국민의 요구에 민감하게 반응함
- 책임 있는 정치의 실현
- 의회와 내각의 관계가 밀접하여 정책결정과 집행이 빠르고 효율적임

⑥ 단점

- 다수당의 횡포가 나타날 수 있음
- 소수 정당의 난립시 정국이 불안정할 수 있음

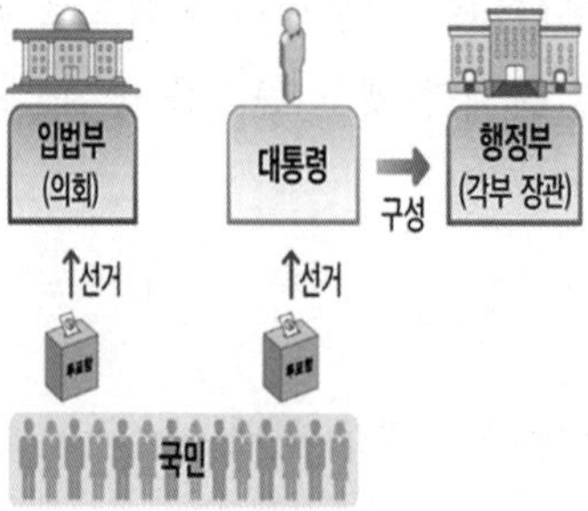

대통령 중심제

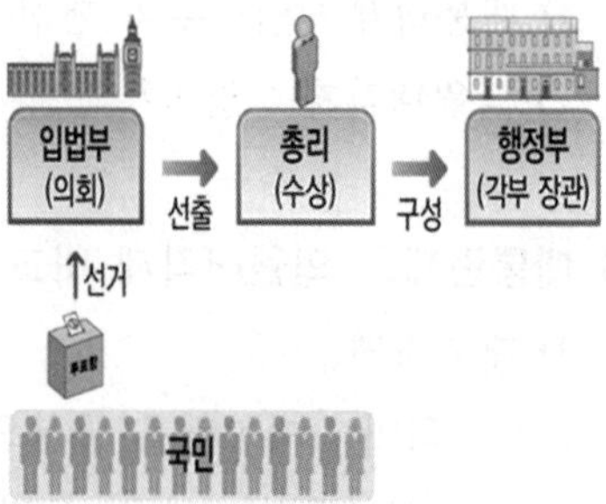

의원내각제

(3) 우리나라의 정부 형태

1) **대통령제** : 기본 정치 형태

① 국민이 선출한 대통령이 행정부의 수반이 되어 국정을 운영함

② 대통령의 임기는 5년이며, 중임할 수 없다.

2) **의원내각제 요소 일부 도입**

① 국무총리 제도

② 행정부의 법률안 제안

③ 국회의원의 장관 겸직 가능

④ 국회의 국무총리 및 장관에 대한 해임 건의건

Exercises

01 **(가), (나)에 해당하는 정치 활동의 사례가 바른 것은?**

(가) 좁은 의미의 정치	(나) 넓은 의미의 정치

① (가) – 법률 제정　② (가) – 학급 회의
③ (나) – 국회의원의 활동　④ (나) – 정책 수립과 집행

02 **정치의 기능으로 옳지 <u>않은</u> 것은?**

① 사회 질서를 유지한다.
② 정치인들의 정치권력을 강화한다.
③ 여러 가지 사회 문제의 해결책을 마련한다.
④ 사회 구성원 간 대립을 조정하여 사회를 통합한다.

03 **그림은 민주주의의 근본이념인 (가)를 나타낸 것이다. (가)는 무엇인가?**

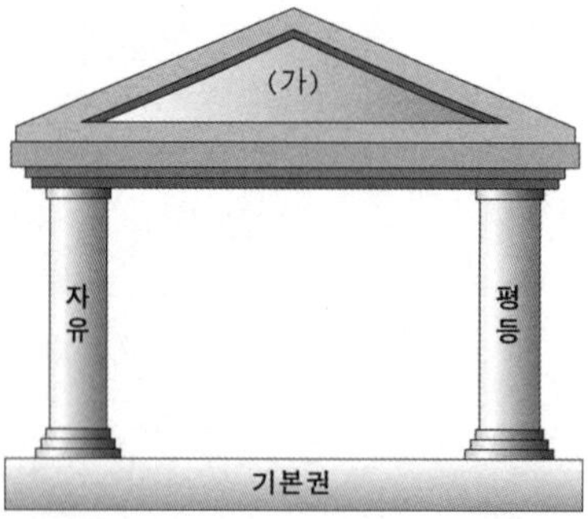

① 권력 분립
② 다수결의 원칙
③ 국민 자치의 원리
④ 인간의 존엄성 실현

04 **다음 설명에 해당하는 민주 정치의 기본 원리는?**

> · 모든 권력은 국민으로부터 나온다.
> · 국가의 중요한 일을 결정하는 최고의 권력이 국민에게 있다.

① 입헌주의의 원리　② 국민 자치의 원리
③ 국민 주권의 원리　④ 권력 분립의 원리

05 **다음 민주정치의 원리들을 통해 실현하려는 목적으로 옳지 <u>않은</u> 것을 〈보기〉에 서 고르면?**

· 입헌주의	· 권력 분립의 원리

〈보기〉

ㄱ. 국민의 자유와 권리보장　　ㄴ. 신속한 정책 결정
ㄷ. 효율적 통치　　ㄹ. 국가의 권력 남용 방지

① ㄱ, ㄴ　② ㄱ, ㄹ　③ ㄴ, ㄷ　④ ㄷ, ㄹ

06 **다음 밑줄 친 '<u>이 원리</u>'에 해당하는 것은?**

<u>이 원리</u>는 국가 기관 간의 권력을 나누어 맡게 하고 상호 간에 견제와 균형을 이루도록 함으로써 특정 권력에 의한 헌법 침해를 막기 위해 둔 것이다.

① 다수결의 원리　② 의회주의의 원리
③ 입헌주의의 원리　④ 권력분립의 원리

07 **다음 내용과 관련이 깊은 정치 형태는?**

· 다수(민중)에 의한 지배	· 고대 그리스 아테네에서 발달

① 귀족 정치　② 민주 정치
③ 군주 정치　④ 독재 정치

08 **우리나라의 대통령에 대한 설명으로 옳지 <u>않은</u> 것은?**

① 국회를 해산할 수 있다.
② 국가 원수이고 행정부의 수반이다.
③ 법률안을 거부할 수 있다.
④ 임기는 5년이고, 중임할 수 없다.

09 다음 그림과 관련 있는 정부 형태를 갖춘 국가는?

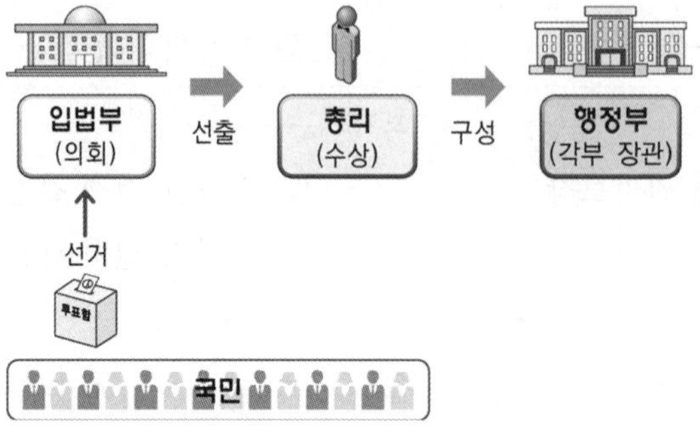

① 한국
② 미국
③ 일본
④ 프랑스

10 우리나라에서 도입한 의원내각제 요소에 해당하는 것을 〈보기〉에서 고른 것은?

〈보기〉

ㄱ. 대통령이 법률안을 거부할 수 있다.
ㄴ. 행정부가 법률안을 제출할 수 있다.
ㄷ. 국회의원이 국무 위원을 겸할 수 없다.
ㄹ. 대통령을 보좌하여 국정을 총괄하는 국무총리가 있다.

① ㄱ, ㄴ ② ㄴ, ㄹ ③ ㄱ, ㄹ ④ ㄷ, ㄹ

11 다음 〈보기〉의 역사적 사건들에 대한 설명으로 옳지 않은 것은?

〈보기〉

· 프랑스 혁명 · 영국 명예혁명 · 미국 독립혁명

① 대표적인 근대 시민 혁명이다.
② 근대 민주 정치 확립의 계기가 되었다.
③ 자유와 평등의 이념을 추구한 역사적 사건들이다.
④ 모든 사회 구성원이 정치에 참여하게 되었다.

정답 : 1. ① 2. ② 3. ④ 4. ③ 5. ③ 6. ④ 7. ② 8. ① 9. ③ 10. ② 11. ④

10 정치 과정과 시민 참여

1 정치 과정과 정치 주체

(1) 정치 과정

1) **의미** : 사회 구성원 간의 다양한 이해관계가 표출되고 집약되어 갈등과 대립이 해결되고 사회가 통합에 이르는 과정

2) **과정(단계)**

다양한 이익 표출 ⇒ 이익 집약(여론 수렴) ⇒ 정책 결정 ⇒ 정책 집행 ⇒ 정책 평가

3) **중요성** : 시민의 적극적 참여는 더 좋은 정책을 만들 수 있음

(2) 정치 주체

1) **의미** : 정치 과정에 참여하는 다양한 개인이나 집단

2) **종류**

① 공식적 주체 : 국회, 법원, 정부 등의 국가 기관

② 비공식적 주체 : 개인, 정당, 이익 집단, 시민 단체, 언론 등

※ 비공식적 주체

① 개인

- 선거에 직접 출마 혹은 선거(투표) 등을 통해 자신의 의사를 표현함
- 블로그, 언론 등에 자신의 주장을 알림

② 정당

- 의미 : 정치적 견해를 같이하는 사람들이 만든 단체
- 목적 : 정권획득
- 역할 : 여론 형성 및 조직화, 정책안 마련, 선거에 후보자 추천 등
- 특징 : 정치적 책임이 있음

③ 이익 단체

- 의미 : 이해관계를 같이 하는 사람들이 자신의 이익 실현을 목적으로 만든 단체
- 사례 : 의사협회, 약사협회, 노동조합 등
- 순기능
  · 다양한 집단의 이해관계 대변
  · 특정 분야의 전문적 지식을 바탕으로 사회문제에 대안 제시 및 해결책 제시 등
- 역기능 : 자기 집단의 이익만을 지나치게 강조할 경우 혼란을 가져올 수 있음

④ 시민 단체

- 의미 : 공익 추구를 목적으로 시민들이 자발적으로 만든 단체
- 사례 : 그린피스, 국경 없는 의사회, 참여연대 등
- 순기능
  · 시민의 정치 참여를 유도하고 여론을 형성함
  · 국가 기관의 정책 결정 및 집행과정을 감시 및 비판함
  · 사회문제 해결을 위한 대안을 제시함
- 역기능 : 지나치게 강조할 경우 혼란을 가져올 수 있음

⑤ 언론

- 의미 : 대중 매체를 통해 정보를 알리거나 여론을 형성함
- 특징 : 여론 형성에 중요한 역할을 함
- 역할 : 정책에 관한 정보들을 빠르게 전달함, 정책에 대한 감시 및 비판 등을 함

2 선거와 민주 정치

(1) 선거

1) **의미** : 대표자를 선출하는 과정

2) **표현** : 민주주의의 꽃

3) **기능** : 대표자 선출, 정당성 부여, 대표자 통제, 여론 형성 및 주권행사 등

(2) 공정한 선거를 위한 제도

1) 선거의 기본 원칙(4원칙)

① 보통 선거 : 일정한 나이 이상의 국민이면 누구나 선거권을 주는 제도

② 평등 선거 : 모든 사람에게 투표의 가치를 동등하게 부여하는 제도

③ 직접 선거 : 대리인을 거치지 않고 본인이 직접 투표하는 제도

④ 비밀 선거 : 유권자가 어느 후보자에게 투표했는지 알 수 없게 하는 제도

2) 선거 공영제

① 의미 : 국가 기관이 선거와 관련한 일을 관리하고, 국가나 지방 자치단체가 선거비용의 일부를 부담하는 제도

② 목적 : 후보자들에게 선거운동의 기회를 균등하게 보장, 선거운동의 과열방지 등

3) 선거구 법정주의

① 의미 : 선거구를 법률로 정함

② 목적 : 특정 정당 및 특정 후보가 선거구를 유리하게 변경하는 것을 막기 위함(게리맨더링방지)

4) 선거 관리 위원회

① 의미

- 각종 공직 선거를 담당하는 독립적인 기관으로 선거와 국민 투표를 공정하게 관리함
- 정당 및 정치 자금에 관한 사무를 처리

② 역할 : 선거 과정 관리, 선거 홍보 및 교육, 정당 관련 업무 처리 등

3 지방 자치와 시민 참여

(1) 지방 자치 제도

1) **의미** : 지역 주민과 지역의 대표가 지역의 일을 스스로 결정하고 처리하는 제도

2) **표현** : 풀뿌리 민주주의, 민주주의의 학교

3) **의의**

- 지역 주민이 정치에 참여할 기회 확대
- 지역 실정에 맞는 효율적인 정책을 결정하고 집행할 수 있게 함

※ 시민의 참여 방법 : 공청회 참석, 청원, 주민투표제, 주민소환제, 주민발안제 등

(2) 지방 자치 단체의 구성

1) **구성** : 의결 기관인 지방 의회와 집행 기관인 지방 자치 단체장으로 구성됨

	지방 의회	지방 자치 단체장
특징	- 의결 기관 - 조례 제정 - 예산안 심의 · 의결	- 집행 기관 - 규칙 제정 - 지방 자치 단체를 대표

2) **임기** : 4년

Exercises

01 **다음 그림이 설명하는 과정은 무엇인가?**

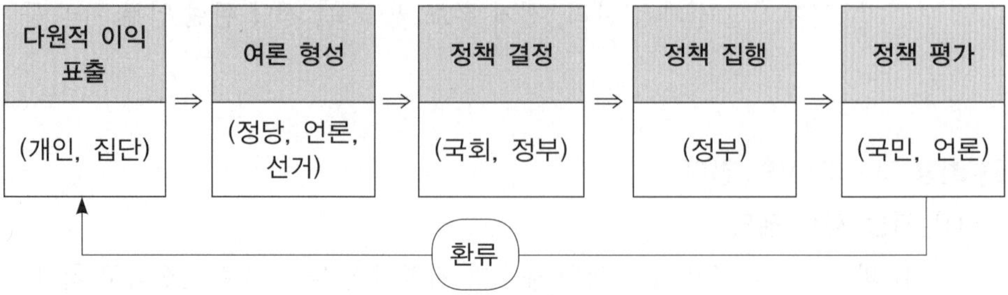

① 소비 과정　　② 유통 과정
③ 재판 과정　　④ 정치 과정

02 **다음 〈보기〉의 ㉠, ㉡에 들어갈 정치 주체가 바르게 연결된 것은?**

〈보기〉

현대 민주주의 사회에서는 (　㉠　) 및 집단이 표출하는 다양한 요구와 지지가 (　㉡　), 언론 등을 통해 집약된다.

	㉠	㉡
①	정부	정당
②	개인	정당
③	국회	개인
④	정당	정부

03 **공정한 선거를 치르기 위한 선거의 기본 원칙이 <u>아닌</u> 것은?**

① 보통 선거　　② 공개 선거
③ 비밀 선거　　④ 직접 선거

04 다음과 관련 있는 조직은?

· 정권 획득을 목표로 선거에 후보자를 추천한다.
· 정치적으로 견해를 같이하는 사람들의 집단이다.

① 정당 ② 회사
③ 이익 집단 ④ 시민 단체

05 시민 단체에 대한 설명으로 옳은 것은?

① 설립 목적은 정권 획득이다.
② 정부 정책을 결정하고 집행한다.
③ 이윤 추구만을 목적으로 재화나 서비스를 생산한다.
④ 공익을 실현하기 위해 시민이 자발적으로 조직한다.

06 다음 내용에 해당하는 것은?

· 국민의 정치 참여를 보장하는 기본 수단
· 대표자에게 공권력 행사의 정당성을 부여

① 청원 ② 언론 ③ 선거 ④ 소송

07 다음과 같은 제도를 시행하는 공통적인 목적을 고르면?

· 선거 공영제
· 선거구 법정주의
· 선거 관리 위원회

① 공정한 선거를 위해서
② 선거 비용을 절약하기 위해서
③ 투표율을 높이기 위해서
④ 선거법 위반 행위를 감시하기 위해서

08 **지방 자치 단체의 장에 대한 설명으로 옳은 것은?**

① 의결 기관에 해당한다.

② 예산을 심의하고 결정한다.

③ 지방 자치 단체의 사무를 관리하고 집행한다.

④ 지방 자치 단체의 행정 사무에 대한 감사를 진행한다.

09 **다음에서 설명하고 있는 것은?**

> · 지역 주민이 지방 정치과정에 참여할 수 있는 제도이다.
> · 지역 주민들이 새로운 조례의 제정이나 기존 조례의 변경 · 폐지를 요구하는 제도이다.

① 주민 발의 제도　② 주민 투표 제도

③ 주민 소환 제도　④ 주민 감사 청구 제도

10 **다음 〈보기〉의 포스터 내용으로 알 수 있는 주민 참여 제도는?**

〈보기〉

> 20**년 ㅇㅇ구 사업 선정을 당신의 손으로!
> 지역의 예산이 주민 여러분의 소중한 투표로!
> 20**년 우리 동네의 꼭 필요한 사업에 쓰입니다!

① 주민 소환제　② 주민 발의제

③ 주민 감사 청구제　④ 주민 참여 예산제

정답 : 1. ④　2. ②　3. ②　4. ①　5. ④　6. ③　7. ①　8. ③　9. ①　10. ④

11 일상생활과 법

1 법의 의미와 목적

(1) 사회규범

1) **의미** : 사회 구성원들이 사회생활에서 지켜야 하는 행동의 기준

2) **종류**

① 관습 : 한 사회에서 오랜 세월 동안 지켜 내려온 규범

② 종교 : 특정 종교에서 지켜야 하는 교리나 계율

③ 도덕 : 인간이 마땅히 지켜야 할 도리

④ 법 : 국가가 강제력을 가지고 지키도록 하는 규범

※ 도덕과 법 비교

	도덕	법
목적	선의 실현	정의 실현
규율대상	행위의 동기 · 과정	행위의 결과
특성	자율적	강제적
위반시	사회적 비난, 양심의 가책	국가의 처벌

(2) 법의 역할 및 목적

1) **법의 역할**

① 사회 질서 유지 : 사회의 갈등과 혼란을 방지함

② 분쟁의 해결 : 분쟁이 발생했을 때 공정하고 객관적인 판단 기준을 제시함

③ 국민의 권리 보호 : 법은 개인의 권리를 정하고, 이를 침해하는 행위를 제재함

2) **법의 목적**

① 정의 실현 : 모든 사람에게 각자가 받아야 할 정당한 몫을 주는 것

② 공공복리의 증진 : 법은 개인이나 특정 집단의 이익이 아닌 공공복리를 추구함

※ 법과 정의의 상징물 : 정의의 여신상(칼 : 강제성, 저울 : 공정성)

2 법의 종류와 특징

(1) 법의 분류

1) **사법(私法)**

① 의미 : 개인 간의 사적인 생활 관계를 규율하는 법

② 종류

- 민법 : 개인과 개인 사이의 재산 · 가족관계 등을 규율하는 법
  [예] 혼인, 상속, 계약 등
- 상법 : 기업의 경제생활 관계를 규율하는 법 [예] 은행법, 보험법, 주식회사 등

2) 공법(公法)

① 의미 : 개인과 국가 간, 국가 기관 간의 공적인 생활관계를 규율하는 법

② 종류

- 헌법 : 국가의 최고 법으로 국가의 지향 목표와 원리, 국민의 권리와 의무, 국가 기관의 구성 원리 등을 규정
- 형법 : 범죄의 종류와 형벌 등을 정해 놓은 법
- 행정법 : 행정 기관의 조직과 작용 및 구제에 관한 내용을 규정해 놓은 법
- 소송법 : 재판의 절차를 규정해 놓은 법 [예] 민사 소송법, 형사 소송법 등

3) 사회법(社會法)

① 의미 : 사법(私法)의 영역인 개인 간의 관계에 국가가 개입한 법

② 목적 : 사회적 약자를 보호 및 인간다운 생활을 보장하기 위해

③ 배경

- 시민 혁명 이후 개인의 자유가 중시되고 국가의 개입 및 간섭이 줄어들었음
- 산업화에 따른 경제성장에서 빈부격차와 같은 사회적 불평등 심화 ⇒ 약자는 더욱 불리
- 각종 사회 문제가 발생 ⇒ 국가의 개입 요구가 나타남

④ 특징 : 사법과 공법의 중간 성격이며, 오늘날 복지국가에서 중요성이 커짐

⑤ 대표적 종류

- 노동법 : 근로 기준법, 노동조합 및 노동관계 조정법, 최저 임금법 등
- 경제법 : 독점 규제 및 공정거래에 관한 법률, 소비자 기본법 등
- 사회 보장법 : 국민 연금법, 기초생활 보장법, 국민 건강보험법 등

3 재판의 의미와 공정한 재판을 위한 제도

(1) 재판의 의미와 종류

1) 재판의 의미 : 어떤 사건이 일어났을 때 법을 해석하고 옳고 그름을 판단하는 것

2) 재판의 기능

① 갈등과 분쟁을 공정하게 해결

② 사회 질서의 유지

③ 국민의 권리 보호

3) 다양한 재판의 종류

① 민사 재판 : 개인 간에 발생한 분쟁을 해결하기 위한 재판

② 형사 재판 : 범죄의 유무와 형벌의 정도를 결정하기 위한 재판

③ 선거 재판 : 선거(당선 무효 등)와 관련된 사건을 다루는 재판

④ 헌법 재판 : 법률이 헌법에 위반 혹은 국민의 기본권이 침해 되었는지를 다루는 재판

⑤ 가사 재판 : 가족이나 친족 간의 분쟁과 가정에 관한 일반적 사건을 다루는 재판

⑥ 소년 재판 : 19세 미만 청소년의 범죄나 잘못된 행동을 다루는 재판

⑦ 행정 재판 : 행정 기관에 의한 침해 혹은 구제 관련 재판

4) 민사 재판과 형사 재판 비교

① 민사 재판

- 의미 : 개인 간의 분쟁 해결을 위한 재판
- 과정 : 원고의 소장 제출 ⇒ 원고와 피고의 증거 제출 및 변론 ⇒ 판사의 판결
- 참여자 : 원고, 피고, 판사, 변호인

② 형사 재판

- 의미 : 범죄의 유무와 처벌의 종류를 결정하는 재판
- 과정 : 검사의 공소 제기 ⇒ 검사 진술과 피고인 변론 ⇒ 판사의 판결
- 참여자 : 원고(검사), 피고인, 판사, 변호인

(2) 공정한 재판을 위한 제도

1) 사법권의 독립

① 의미 : 사법권을 독립시켜 법에 근거한 재판이 이루어지도록 함

② 목적 : 공정한 재판을 통한 국민의 권리 보호

③ 실현 방법 : 법원의 독립, 법관의 신분보장

2) 심급 제도

① 의미 : 하급법원의 판결에 이의가 있을시 상급 법원에 여러 번 재판을 받을 수 있도록 하는 제도

② 목적 : 법관의 잘못된 판단으로부터 국민의 피해를 줄임으로써 국민의 권리를 보장함

③ 상소 : 상급 법원에 다시 재판을 청구하는 것

- 항소 : 1심 판결에 불복하고 상급법원에 2심을 청구하는 것
- 상고 : 2심 판결에 불복하고 상급법원에 3심을 청구하는 것

3) 공개 재판주의 : 재판의 심리와 판결을 공개해야 한다는 원칙

4) 증거 재판주의 : 법원은 구체적인 증거를 통해서만 진행되어야 한다는 원칙

Exercises

01 **다음에서 설명하는 사회 규범은?**

· 국가가 만든 사회 규범이다. · 사회 구성원이라면 누구나 반드시 따라야 하는 강제성을 띤다.

① 법　② 도덕　③ 관심　④ 예절

02 **(가), (나)에 대한 설명으로 옳은 것은?**

(가) 부모님께 효도해야 한다. (나) 사람을 살해한 자는 사형, 무기 징역 또는 5년 이상의 징역에 처한다.

① (가)는 법이다.

② (가)는 정의 실현을 목적으로 한다.

③ (나)는 도덕이다.

④ (가)는 (나)보다 강제성이 약하다.

03 **다음에서 설명하는 사회 규범은?**

· 국가의 최고법 · 국민의 기본권을 보장해 놓은 법

① 민법　② 상법　③ 헌법　④ 노동법

04 **다음 중 법에 대한 특성을 고르면?**

① 행위의 동기를 중요하게 여긴다.

② 강제성을 가지고 있다.

③ 위반할 경우 처벌은 없고 사회적 비난이 따른다.

④ 인간의 내면적 생활을 다루고 있다.

05 정의의 여신상이 들고 있는 칼이 상징하는 것은?

① 강제성 ② 공정성 ③ 형평성 ④ 편중성

06 공법에 해당하는 종류를 〈보기〉에서 고른 것은?

〈보기〉

ㄱ. 민법 ㄴ. 상법 ㄷ. 헌법
ㄹ. 형법 ㅁ. 사회법

① ㄱ, ㄴ ② ㄴ, ㄷ ③ ㄷ, ㄹ ④ ㄹ, ㅁ

07 다음 〈보기〉와 공통으로 관련된 법은?

〈보기〉

· 근로자 A는 공장에서 열심히 일을 하였지만, 저번 달에 이어 이번 달에도 월급을 받지 못했다.
· 근로자 B는 노조에 가입했다는 이유로 해고를 당하였다.

① 형법 ② 소송법 ③ 민법 ④ 사회법

08 다음 그림과 관련된 재판은?

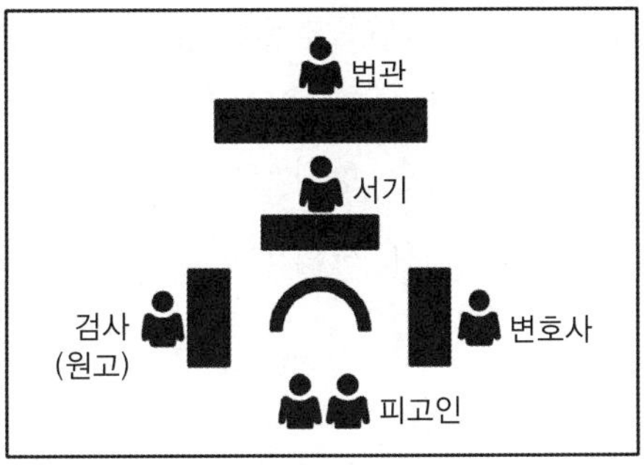

① 형사 재판
② 헌법 재판
③ 민사 재판
④ 행정 재판

09 **(가), (나)에 해당하는 재판의 종류를 바르게 연결한 것은?**

(가) 개인과 개인 사이에서 일어난 법률관계에 관한 분쟁을 해결하기 위한 재판이다.
(나) 범죄가 발생한 경우 죄를 저지른 사람이 어떤 처벌을 받아야 하는지를 결정하는 재판이다.

	(가)	(나)		(가)	(나)
①	민사 재판	헌법 재판	②	민사 재판	형사 재판
③	헌법 재판	형사 재판	④	형사 재판	민사 재판

10 **다음 〈보기〉의 공통 제도로 옳은 것은?**

〈보기〉

· 사법권의 독립
· 심급제도
· 공개재판주의
· 증거재판주의

① 신속한 재판
② 공정한 재판
③ 효율적 재판
④ 삼권분립

11 **다음에서 설명하고 있는 법은?**

· 주로 개인의 가족 관계나 재산 관계 등을 규율하는 법이다.
· 혼인과 이혼, 상속과 유언, 물건에 대한 소유권 등을 다룬다.

① 헌법
② 형법
③ 민법
④ 사회법

정답 : 1. ① 2. ④ 3. ③ 4. ② 5. ① 6. ③ 7. ④ 8. ① 9. ② 10. ② 11. ③

12 사회 변동과 사회 문제

1 사회 변동과 양상

(1) 사회 변동

1) **의미** : 사회 전반적으로 생활양식, 가치관, 제도 등이 크게 달라지는 현상

2) **변동 요인** : 교통과 통신의 발달, 과학 기술의 발달, 정부 정책, 발명과 발견 등

(2) 변동 양상

1) 산업화

① 의미 : 산업혁명으로 인해 농업 중심의 사회에서 공업 중심의 사회로 변화하는 현상

② 특징

- 공장에서 상품을 대량생산 ⇒ 물질적 풍요로 대량소비
- 교통의 발달로 사람이나 물자의 이동이 활발
- 도시로 인구 집중 및 급격한 인구 증가
- 대중 교육 및 대중 사회 형성 등

③ 문제점 : 빈부격차 심화, 도시로 인구 집중, 환경오염 심화 등

2) 세계화

① 의미 : 교통과 통신의 발달로 국경을 넘어 세계가 하나의 생활단위로 되어가는 현상

② 특징

- 국가 간 교류 증대로 상호간 의존성이 높아짐
- 외국 상품 소비 기회 확대
- 서구 사회에서 중시되던 민주주의와 인권 등의 가치가 다른 지역으로 전파

③ 문제점

- 세계인의 생활양식이 비슷해짐 ⇒ 문화의 다양성이 파괴됨
- 국가 간 불평등 심화 등

3) 정보화

① 의미 : 정보통신기술의 발달로 지식과 정보가 생활의 중심이 되어 사회가 변하는 현상

② 특징

- 지식과 정보를 생산하고 활용하는 산업 발달
- 인터넷을 기반으로 가상공간에서 새로운 인간관계 형성

- 시간 · 공간의 제약 약화 ⇒ 생활 편의 증대
  예 전자 민주주의, 재택근무, 온라인 쇼핑 등
- 사람들의 다양한 요구와 개성을 고려한 다품종 소량생산의 방식이 나타남

③ 문제점
- 정보를 가진 사람과 그렇지 못한 사람 간의 정보격차 심화
- 개인정보 유출 및 사생활 침해
- 인터넷 중독
- 해킹과 같은 사이버 범죄 증가

2 한국 사회 변동의 최근 경향

(1) 한국 사회의 변동 양상

1) 경제적 변동

농업 사회		산업 사회		정보 사회
1960년대 초까지 농업사회	⇒	1960년대 본격적인 산업화(정부주도)	⇒	1990년대 이후 정보통신 기술의 발달로 급격한 발전

2) 정치적 변동

권위주의 사회		민주사회
독재 정권	⇒	시민이 중심이 된 민주화 운동

3) 사회적 변동

닫힌 사회		열린 사회
남성 중심, 수직적 인간관계	⇒	여성의 사회 진출, 수평적 인간관계, 지방 분권적

(2) 한국 사회 변동의 경향

1) 저출산

① 의미 : 출산율이 낮아지는 현상

② 배경 : 여성의 사회 진출 증가, 가치관의 변화, 양육비와 교육비의 증가 등

③ 문제점

- 생산 가능 인구 감소로 노동력 부족
- 노동인구의 고령화로 생산성 낮아짐

④ 대책

- 제도적 차원 : 출산 장려 정책 실시 예 보조금 지급, 육아 휴직제도 등
- 의식적 차원 : 양성평등 문화를 확립하여 여성에게 집중된 육아 부분 등의 인식 전환

2) 고령화

① 의미 : 전체 인구에서 65세 이상의 인구가 차지하는 비중이 높아지는 현상

② 배경 : 출산율 감소, 평균 수명 연장, 의료 기술의 발달, 생활수준 향상 등

③ 문제점

- 노동력 부족 ⇒ 노인의 부양 부담 증가
- 노인 빈곤 · 질병 등 각종 노인 문제 발생

④ 대책

- 제도적 차원 : 노년층의 경제 활동 장려, 정년 연장, 노인 연금 및 복지 정책 강화 등
- 의식적 차원 : 개인이 자신의 노후 대비, 모두가 겪게 될 사회 문제로 인식해야 함

3) 다문화

① 의미 : 한 사회 안에 다양한 문화적 배경을 가진 민족이나 인종이 공존하는 사회

② 배경 : 국제 결혼, 외국인 근로자의 유입, 유학 등

③ 기능

- 긍정적 : 다양한 문화의 유입으로 문화 발전, 국내의 노동력 부족 문제 해결 등
- 부정적 : 문화 차이로 인한 갈등, 이주민에 대한 편견 및 차별 등

④ 해결 방안

- 외국인 이주민의 문화적 차이 인정
- 다문화 교육 실시
- 사회적 · 제도적 차원의 지원

3 현대 사회의 사회 문제

(1) 사회 문제

1) **의미** : 사회 구성원 대다수가 문제라고 여기는 현상

2) **사례** : 주택 문제, 교통 문제, 환경 문제, 노동 문제 등

3) **특징**

① 발생 원인이 사회에 있으며, 인간의 노력으로 해결 가능한 것

② 어느 사회에서나 존재하며, 시대나 장소에 따라 다름

(2) 사회 문제의 해결 방안

1) **개인적 차원** : 사회 문제에 관심을 갖고 의식 개선과 실천(참여)을 해야 함

2) **제도적 차원** : 법적 제도나 정책 등을 마련함

3) **국제적 차원** : 국가 간 협력을 확대 및 강화 예 지구 온난화, 오존층 파괴 등

01 세계화에 대한 설명으로 옳은 것은?

① 세계 여러 나라의 문화를 접하기 어렵다.
② 국경의 의미가 강화되어 생활의 단위가 분리되었다.
③ 교통과 통신의 발달이 세계화의 원인이다.
④ 국가 간의 교류가 많아졌지만 상호 의존성은 낮아졌다.

02 현대 사회의 변동 방향이 아닌 것은?

① 개방화 ② 세계화 ③ 농업화 ④ 정보화

03 다음 글과 관련된 현대 사회의 변동 양상은?

> 스마트폰이 등장하면서 일상생활이 많이 달라졌다. 아침에 일어나면 스마트폰으로 전자 우편을 확인하고, 친구를 만날 때면 스마트폰으로 맛집을 찾는다. 그리고 버스를 이용할 때에도 스마트폰을 통해 버스 도착 시간에 맞춰 정류장에 나간다.

① 정보화 ② 산업화 ③ 농업화 ④ 도시화

04 다음 밑줄 친 A~D 중 옳지 않은 것은?

> 1960년대 초까지 한국 사회는 A. 전형적인 농업 사회였다. 1960년대 중반 이후 B. 정부가 주도하여 경제 개발 정책을 추진하면서 C. 빠르게 산업화되었고, '한강의 기적'이라고 부를 만큼 놀라운 경제 성장을 이루어냈다. 이후 정보 통신 기술이 비약적으로 발달하면서 한국 사회는 빠르게 D. 공업 사회로 변화하고 있다.

① A ② B ③ C ④ D

Exercises

05 그림에서 해결하고자 하는 우리나라의 인구 문제는?

① 저출산 ② 성비 불균형
③ 대도시 인구 집중 ④ 노인 일자리 부족

06 다음 표를 통해 예상할 수 있는 사회적 현상에 대한 대책이 아닌 것은?

〈연령별 인구 구성비의 추이〉

구분	2010년	2020년	2030년	2040년	2050년
0~4세 인구(%)	16.2	13.2	12.6	11.2	9.9
65세 이상 인구(%)	11.0	15.7	24.3	32.3	37.4

① 출산 장려 지원 ② 근로자의 정년 단축
③ 노인 대상 건강 보험 확대 ④ 육아 휴직 및 보육 시설 확충

07 다음 〈보기〉의 A에 들어갈 알맞은 용어는?

〈보기〉

우리는 살아가면서 여러 가지 문제에 부딪힌다. 그 중 발생 원인이 사회에 있고, 인간의 노력으로 해결 가능하며, 사회 구성원 대다수가 문제라고 여기는 사회 현상을 (A)(이)라고 한다.

① 사회 문제 ② 노동 문제
③ 환경 문제 ④ 산업 문제

08 다음과 같은 사회 문제가 발생하는 원인으로 가장 적절한 것은?

인터넷상에서 본명을 쓰지 않거나 익명으로 특정 개인에 대한 험담을 유포하거나 다른 사람의 개인 정보를 유출하는 사이버 범죄가 나타나고 있다.

① 다문화　　② 정보화

③ 산업화　　④ 농업화

09 다문화 사회의 갈등을 해결하기 위한 바람직한 방안으로 옳은 것을 〈보기〉에서 고른 것은?

〈보기〉

ㄱ. 이주민이 자기 문화를 버리도록 강요한다.
ㄴ. 학교와 지역 사회에서 다문화 교육을 강화한다.
ㄷ. 서로 다른 문화 간의 소통과 관용의 자세를 가진다.
ㄹ. 자기가 속한 문화 이외의 다른 문화는 배척한다.

① ㄱ, ㄴ　　② ㄱ, ㄹ　　③ ㄴ, ㄷ　　④ ㄷ, ㄹ

10 현대 사회의 주요 사회 문제와 그에 대한 해결책으로 옳은 것은?

① 주택 문제 – 사유재산 금지
② 노동 문제 – 임금 차별 실시
③ 환경 문제 – 일회용품을 사용한다.
④ 인구 문제 – 출산 및 육아 장려금 지원

정답 : 1. ③　2. ③　3. ①　4. ④　5. ①　6. ②　7. ①　8. ②　9. ③　10. ④

SOCIAL STUDIES

SOCIAL STUDIES

3

grade

01 인권과 헌법

1 인권과 기본권

(1) 인권

1) **의미** : 인간이기 때문에 누구나 존중 받아야 할 권리

2) **특성**

① 천부인권 : 태어날 때부터 지닌 권리

② 자연권 : 국가에서 법이나 제도로 보장하기 이전부터 자연적으로 부여된 권리

③ 보편권 : 모든 사람이 동등하게 누릴 수 있는 권리

④ 항구권 : 영원히 보장되는 권리

(2) 인권 보장과 헌법

1) **근대 이전 사회** : 왕이나 소수의 지배층만이 특권을 누림

2) **시민혁명 이후**

① 인권보장에 관한 문서들 등장 및 자유권 중심의 인권 보장을 강조

② 인간다운 삶을 보장하는 사회권 중심의 인권 보장으로 점차 확대됨

(3) 헌법과 기본권

1) **기본권** : 인권 중에서 헌법에 규정하여 보장하는 기본적인 권리

2) **헌법에 보장된 기본권의 종류와 내용**

① 자유권

- 의미 : 부당하게 국가 권력의 간섭을 받지 않고 자유롭게 생활할 수 있는 권리

  예 신체의 자유, 종교의 자유 등

② 평등권

- 의미 : 성별, 종교, 인종과 같은 조건에 의해 차별받지 않을 권리

  예 법 앞에 평등, 기회의 평등 등

③ 참정권

- 의미 : 국가 기관의 형성과 국가의 정치적 의사 형성 과정에 참여할 수 있는 권리

  예 선거권, 국민 투표권 등

④ 청구권

- 의미 : 국민이 국가에 대하여 일정한 청구를 할 수 있는 권리
- 특징 : 다른 기본권을 보장하기 위한 수단적 기본권

  예 재판 청구권, 손해배상 청구권 등

⑤ 사회권

- 의미 : 인간다운 생활을 위해 국민이 국가에 요구할 수 있는 권리 ⇒ 적극적 권리

  예 교육권, 근로권, 사회 보장권, 환경권 등

3) 기본권의 제한

① 사유 : 국가 안전보장, 질서유지, 공공복리

② 방법 : 법률

③ 한계 : 자유와 권리의 본질적 내용은 침해할 수 없음

2 인권 침해와 구제 방법

(1) 일상생활 속에서 나타나는 인권 침해

1) 의미 : 개인이나 단체, 국가 기관이 다른 사람의 인권을 침범하여 해를 입히는 행위

2) 대표적 침해

① 학교 : 외모 등으로 따돌림

② 직장 : 성별, 출신 학교 등에 따른 채용 및 차별

③ 사회 : 폭행, 장애인 이동 시설 미비 등

(2) 인권 구제

1) 개인이나 단체에 의한 침해 : 고소, 민사소송, 국가 인권 위원회에 진정 등

2) 국가기관에 의한 침해 : 행정소송, 헌법소원, 고충민원, 국가 인권 위원회에 진정 등

3 노동권의 내용과 보호

(1) 근로자의 의미와 권리

1) 근로자의 의미 : 임금을 목적으로 사용자에게 노동을 제공하는 사람

2) 근로자의 권리

① 의미 : 최저 임금과 같이 인간다운 생활의 보장을 요구할 수 있는 권리

② 보호 : 헌법과 법률(노동법)로 보호하고 있음

③ 노동 3권

- 단결권 : 근로자가 노동조합을 만들고 가입하여 활동할 수 있는 권리

- 단체 교섭권 : 노동조합을 통해 근로 조건에 관하여 사용자와 협상할 수 있는 권리
- 단체 행동권 : 단체 교섭이 원만하게 이루어지지 않을 경우 쟁의 행위를 할 수 있는 권리

(2) 노동권의 침해와 구제

1) 노동권 침해 유형

① 임금 체불 및 최저임금 미준수

② 근로 계약서 미작성

③ 근로 조건 위반

④ 부당 해고

⑤ 부당 노동 행위

2) 침해 구제

① 임금 체불 ⇒ 고용노동부, 법원

② 부당 해고 및 부당 노동 행위 ⇒ 노동 위원회, 법원

01 **다음에 밑줄 친 부분에 해당하는 특징으로 옳지 <u>않은</u> 것은?**

모든 사람은 인간이라는 이유만으로 성별, 신분, 인종, 종교에 상관없이 소중하고 존엄한 존재로 대우 받을 가치가 있기 때문에 인간으로서 <u>당연히 누려야할 권리</u>를 갖는다.

① 자연권 ② 천부인권

③ 불가침의 권리 ④ 양도 가능 권리

02 **다음 설명에 해당하는 국민의 기본권은?**

· 국가의 의사 결정에 참여할 수 있는 권리이다.
· 선거권, 공무 담임권, 국민 투표권이 해당된다.

① 참정권 ② 사회권

③ 청구권 ④ 자유권

03 **다음 〈보기〉의 밑줄 친 기본권으로 가장 적절한 것은?**

〈보기〉

의사 A 씨 등은 '최신 수술, 부작용 없음' 이라는 현수막 광고를 하였는데, 이 광고가 "의료 광고를 하기 전에 보건 복지부 장관의 심의를 받아야 한다." 라는 「의료법」 제56조를 위반했다는 이유로 벌금을 물게 되었다.
그러자 의사 A 씨 등은 「의료법」 제56조가 <u>헌법에 보장된 기본권</u>을 침해한다며 헌법 소원을 청구하였다.

① 사회권 ② 자유권

③ 참정권 ④ 청구권

04 다음은 기본권의 제한 규정에 관한 것이다. 밑줄 친 내용 중 잘못된 것은?

> 국민의 모든 자유와 권리는 ①국가안전보장, ②질서 유지, 또는 공공복리를 위하여 필요한 경우에 한하여 ③법률로써 제한할 수 있다고 규정하고 있다. 그러나 이 경우에도 자유와 권리의 ④본질적인 내용은 침해할 수 있다고 하여, 국민의 기본권이 국가 권력에 의해 부당하게 침해되지 않도록 하고 있다.

05 다음 내용에 해당하는 우리나라의 국가 기관은 무엇인가?

> 일상생활에서 인권 침해나 차별을 당했을 때 이에 대한 구제를 담당하는 국가 기관으로 2001년에 출범하였다.

① 입법부
② 행정부
③ 헌법 재판소
④ 국가 인권 위원회

06 밑줄 친 '국가 기관'의 사례로 적절하지 않은 것은?

> 자신의 인권을 지키려면 인권이 침해되었을 때 어떻게 구제받을 수 있는지를 알고, 적절한 국가 기관에 구제를 요청해야 한다.

① 법원
② 헌법 재판소
③ 국무 회의
④ 국민 권익 위원회

07 다음 대화에 나타나 있는 권리는?

갑 : 너희 회사에는 노동조합이 있니?
을 : 아니. 이번에 회사 동료들과 노동조합을 만들 거야.

① 청구권 ② 단결권
③ 환경권 ④ 공무담임권

08 (가), (나)에서 설명하는 근로자의 권리를 옳게 연결한 것은?

㈎ 노동조합을 통해 근로 조건에 관하여 사용자와 협상할 수 있는 권리
㈏ 노동조합과 사용자 간의 근로 조건에 관하여 분쟁이 발생했을 때 파업, 태업 등의 쟁의 행위를 할 수 있는 권리

	㈎	㈏
①	단결권	단체 교섭권
②	단결 행동권	단체 교섭권
③	단결권	단체 행동권
④	단체 교섭권	단체 행동권

09 다음 빈칸 A에 알맞은 것은?

임금을 제때 받지 못했을 때에는 (A)에 신고하거나 법원에 도움을 요청하여 밀린 임금을 받을 수 있다.

① 고용노동부 ② 국가 인권 위원회
③ 헌법 재판소 ④ 감사원

정답 : 1. ④ 2. ① 3. ② 4. ④ 5. ④ 6. ③ 7. ② 8. ④ 9. ①

02 헌법과 국가기관

1 국회

(1) 국회의 의미와 조직 구성

1) 의미 : 국민이 선출한 국회의원들이 모여 법을 제정 혹은 개정하며, 국가의 주요 의사를 결정하는 기관

2) 성격

① 국민의 대표기관 : 국민이 뽑은 대표로 구성된 기관

② 입법기관 : 법률을 제정하고 개정하는 기관

③ 국가권력의 견제기관 : 행정부와 사법부를 감시 · 견제

3) 조직 구성

① 구성

- 지역구 국회의원 : 각 지역구의 최고 득표자가 선출됨
- 비례대표 국회의원 : 각 정당별 득표율에 비례하여 선출됨

② 임기 : 4년(중임가능)

③ 주요 조직(의장 1명, 부의장 2명)

- 상임 위원회 : 효율적인 의사 진행을 위해 본 회의에서 결정할 법률안, 예산안, 청원 등을 분야별로 미리 심의함
- 본 회의 : 상임위원회에서 심의한 법률안, 예산안, 청원 등을 최종적으로 결정함

(2) 국회의 권한

1) 입법에 관한 권한

① 법률의 제정 및 개정 : 법을 만들거나 고침

② 헌법 개정안 제안 및 제출 : 헌법의 개정안 제안 및 찬성 여부를 결정

③ 조약 체결 및 비준 동의 : 외국과 체결한 조약을 맺을 경우 이에 대한 동의권 행사

2) 재정에 관한 권한

① 예산안 심의 · 확정 : 행정부가 편성한 예산을 심의하고 확정함

② 결산 심사 : 행정부가 예산을 합리적으로 사용했는지를 심사함

3) 국가 권력 견제 권한

① 국정 감사 및 국정 조사 : 정기적 혹은 특별한 사안일 경우 감사 및 조사하여 바로잡음

② 탄핵 소추권 : 대통령, 국무총리, 행정부의 장 등에 대한 탄핵소추를 의결할 수 있음

③ 임명 동의권 : 국무총리, 대법원장 등 임명 시 인사청문회를 실시하고 임명에 동의권을 행사함

2 행정부와 대통령

(1) 행정권과 행정부

1) **행정권** : 입법부가 제정한 법률을 집행하는 권한

2) **행정부**

① 의미 : 행정(권)을 담당하는 국가기관 ⇒ 헌법에 대통령을 수반으로 하는 행정부에 행정권을 부여

② 특징 : 현대 국가는 복지국가를 추구 ⇒ 행정부의 역할이 커지고 전문성도 높아짐

3) **행정부의 조직과 기능**

① 대통령

- 행정부의 최고 책임자, 국가원수
- 임기 5년 단임제

② 국무총리

- 대통령의 국정 운영을 보좌함
- 행정 각 부를 지휘 · 조정함
- 국회의 동의를 얻어 대통령이 임명

③ 행정 각부

- 각부의 장(장관)은 자신이 맡은 부서의 업무를 지휘하며, 행정 사무를 처리함
- 국가 행정을 나누어 맡아 실제 행정 업무를 처리함
- 대통령이 임명

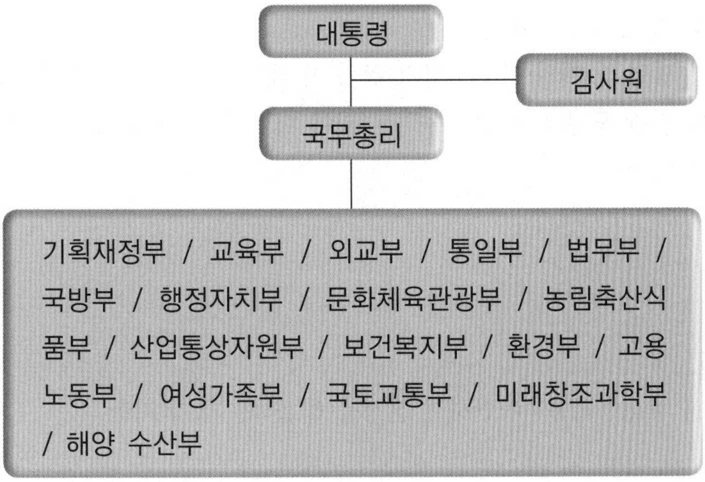

▲ 정부 조직

④ 국무회의

- 행정부의 중요한 정책을 심의하는 회의(행정부의 최고 심의기관)
- 구성원 : 대통령, 국무총리, 행정 각 부의 장관

⑤ 감사원

- 대통령 직속기관
- 행정부의 최고 감사 기관(국가의 세입 · 세출 검사, 행정기관 및 공무원의 직무 감찰)

(2) 대통령의 선출과 권한

1) 대통령의 선출과 임기

① 선출 : 국민의 직접 선거로 선출

② 임기 : 5년 단임제(중임 불가)

2) 대통령의 권한

① 행정부 수반으로서의 권한 : 행정 작용에 대한 최종 권한과 책임

- 행정부를 지휘 · 감독 : 국가 행정의 최종적 권한과 책임을 가짐
- 국무회의 의장
- 행정 각부의 장 등 임명 · 해임
- 국군 통수권 : 국군을 지휘 · 통솔함
- 법률안 거부권 : 법률안에 이의가 있을시 법률안의 심의와 의결을 다시 요구함
- 대통령령 제정 : 법률에 위임 받았거나 법률 집행에 필요한 사항을 대통령령으로 제정함

② 국가 원수로서의 권한 : 국가의 최고 지도자

- 외교에 관한 권한 : 외국과의 조약 체결, 외교 사절 파견 등
- 국정 조정, 국민투표 실시
- 긴급 명령 및 계엄 선포 : 국가 위기 시 국가 안전보장 및 헌법 수호 목적
- 헌법 기관 구성 : 국회의 동의를 얻어 대법원장, 대법관, 헌법재판소장, 감사원장 등 임명

3 법원과 헌법재판소

(1) 법원(사법부)

1) 의미 : 법을 해석 · 적용 · 판단하여 분쟁을 해결하는 국가 기관

2) 법원의 조직

① 대법원 : 국가 최고 법원, 모든 사건의 최종 재판을 담당

② 고등법원 : 1심 판결에 불복해 항소한 사건을 재판

③ 지방법원 : 1심 사건을 재판

④ 기타 법원

- 가정법원 : 이혼, 양자 등의 가사사건, 소년 보호사건 등 재판
- 행정법원 : 잘못된 행정 작용에 관한 소송을 재판
- 특허법원 : 특허 관련 재판

※ 심급제도 : 하급법원의 판결에 불복시 상급법원에 다시 재판을 청구하는 제도

3) 사법부의 독립

① 목적 : 공정한 재판을 통해 국민의 권리를 보장

② 내용

- 법원의 독립 : 법원의 조직은 법률에 따라 독자적 구성
- 법관의 독립 : 국가 권력의 간섭을 받지 않고, 헌법과 법률 및 양심에 따라 판결

(2) 헌법재판소

1) 의미 : 헌법 수호기관이자 국가 권력을 통제하며, 국민의 기본권을 보장하는 기관

2) 구성 및 임기

① 구성

- 9명의 재판관으로 구성, 대통령이 임명(대법원장 · 국회 · 대통령이 각 3명씩 지명)
- 헌법재판소장은 국회의 동의를 얻어 헌법재판소 재판관 중에서 대통령이 임명

② 임기 : 6년(연임가능)

3) 역할

① 위헌 법률 심판 : 법원이 법률의 위헌 여부를 심판해달라고 제청한 경우 심판함

② 헌법 소원 심판 : 법률이나 공권력에 기본권을 침해당한 국민이 청구하여 위헌 여부를 심판

③ 정당 해산 심판 : 정부가 정당의 목적이나 활동이 민주적 기본질서를 위반했는지를 심판

④ 탄핵 심판 : 대통령과 같이 법률이 정한 공무원의 탄핵소추를 심판

⑤ 권한 쟁의 심판 : 국가 기관 간, 국가 기관과 지방 자치단체 간의 다툼 조정 등

Exercises

01 **국회에 대한 설명으로 옳은 것은?**

① 법을 제정 및 개정을 한다.

② 의장 1명과 부의장 1명으로 구성된다.

③ 임기는 4년이며, 중임할 수 없다.

④ 국회의 회의는 비공개를 원칙으로 한다.

02 **국회의 입법 기능에 해당하는 것을 〈보기〉에서 고르면?**

〈보기〉

ㄱ. 국정 감사 및 조사　　ㄴ. 탄핵소추의결

ㄷ. 법률 제정 및 개정　　ㄹ. 헌법 개정안 의결

① ㄱ, ㄴ　　② ㄴ, ㄹ

③ ㄱ, ㄹ　　④ ㄷ, ㄹ

03 **밑줄 친 '이 조직'은 무엇인가?**

이 조직은 외교, 통일, 국방, 보건, 복지 등 전문 분야별로 조직하며, 본회의에 앞서 해당 분야에 속하는 법률안, 예산안, 청원 등을 심사한다.

① 특별 위원회

② 상임 위원회

③ 국방 위원회

④ 국무회의

04 (가), (나)에서 설명하는 국가 기관을 옳게 연결한 것은?

> (가) 행정부의 최고 책임자로서 행정부의 일을 최종적으로 결정하는 역할을 한다.
> (나) 대통령을 도와 행정 각부를 관리하고 감독하며, 부의장으로서 국무 회의에 참석한다.

	(가)	(나)		(가)	(나)
①	대통령	국무총리	②	대통령	행정 각부의 장
③	국무총리	감사원장	④	국무총리	행정 각부의 장

05 우리나라 대통령에 대한 설명으로 옳지 <u>않은</u> 것은?

① 임기는 5년이며 중임할 수 없다.
② 국가 원수로서 국가를 대표할 자격을 지닌다.
③ 국무총리 등을 해임하기 위해서는 국회의 동의를 얻어야 한다.
④ 국민의 직접 선거를 통해 선출된다.

06 밑줄 친 '<u>이 조직</u>'은 무엇인가?

> <u>이 조직</u>은 행정부의 최고 심의 기관으로 정부의 권한에 속하는 주요한 정책을 심의한다.

① 특별 위원회 ② 국무회의
③ 국방 위원회 ④ 상임 위원회

07 **다음 설명에 해당하는 행정부의 조직은?**

> · 행정부의 최고 감사 기관이다.
> · 행정 기관 및 공무원의 직무를 감찰한다.
> · 대통령 직속으로 되어있다.

① 국무회의 ② 상임 위원회
③ 감사원 ④ 행정 각부

08 **다음 설명에 해당하는 기관은?**

> · 국회에서 만든 법률이나 공권력의 행사가 기본권을 침해하는지 등을 판단하는 국가 기관이다.
> · 헌법 수호 기관 및 기본권 보장 기관이다.
> · 대표적으로 위헌법률심판, 헌법소원심판, 탄핵심판 등이 있다.

① 대법원 ② 헌법재판소
③ 행정법원 ④ 지방 법원

09 **빈칸 A에 들어갈 용어로 적절한 것은?**

> 국회가 (A)에 대한 탄핵 소추를 의결하면, 헌법재판소는 탄핵 심판을 통해 그 탄핵의 정당성을 판단한다.

① 국회의원 ② 국회 의장
③ 정당 대표 ④ 대통령

10 법원의 조직을 바르게 연결한 것은?

① 대법원 – 모든 사건의 최종적인 재판을 담당한다.

② 대법원 – 주로 특허 업무와 관련된 사건 재판을 한다.

③ 지방 법원 – 민사 사건에 한해서 재판을 한다.

④ 고등 법원 – 위헌법률심판, 탄핵심판, 헌법소원 심판 등을 담당한다.

11 다음 〈보기〉의 공통점으로 올바른 것은?

〈보기〉

· 사법권은 법관으로 구성된 법원에 속한다.
· 법관의 자격은 법률로 정한다.
· 법관의 독립

① 행정부에 대한 견제가 목적이다.

② 공정한 재판을 위한 제도들이다.

③ 국회의 통제 규정이다.

④ 국민의 의사를 반영하기 위한 제도이다.

정답 : 1. ① 2. ④ 3. ② 4. ① 5. ③ 6. ② 7. ③ 8. ② 9. ④ 10. ① 11. ②

03 경제생활과 선택

1 경제생활과 경제 체제

(1) 경제 활동의 의미와 경제 주체

1) 경제 활동

① 의미 : 인간에게 필요한 재화와 서비스를 생산, 분배, 소비를 하는 모든 활동

② 대상

- 재화 : 인간의 욕구와 필요를 충족해주는 유형의 물건 예 시계, 자동차, 집 등
- 서비스 : 인간의 욕구와 필요를 충족해주는 무형의 행위 예 의사의 진료, 가수의 공연 등

③ 유형

- 생산 : 재화와 서비스를 만들거나 가치를 높이는 일 예 상품의 제조, 개조 등
- 분배 : 생산 활동에 참여한 대가를 받는 것 예 임금, 지대, 이자 등
- 소비 : 재화나 서비스를 구매하여 사용하는 것 예 컴퓨터 구입, 영화 관람 등

2) 경제 주체

① 가계

- 소비의 주체
- 생산 요소인 토지, 노동, 자본을 제공하고 소득을 얻음
- 국가에 세금을 납부

② 기업

- 생산의 주체
- 목적 : 이윤 추구
- 생산 요소의 대가로 임금, 지대, 이자를 지불함
- 국가에 세금 납부

③ 정부

- 경제활동의 전체를 관리 감독
- 생산과 소비의 주체, 세금을 바탕으로 공공재를 생산

(2) 자원의 희소성과 합리적 선택

1) 자원의 희소성

① 의미 : 인간의 욕구는 무한하지만, 이를 만족시켜줄 자원이 상대적으로 부족한 현상

② 특징 : 자원의 희소성은 상대적 개념

2) 기회비용과 합리적 선택

① 기회비용

- 의미 : 어떤 것을 선택함으로써 포기해야 하는 다른 선택 중 가장 큰 것
  예 인어공주는 목소리를 얻은 대신에 다리를 잃음

② 비용과 편익

- 비용 : 어떤 것을 선택함으로써 지불해야 하는 대가 예 돈, 시간, 노력 등
- 편익 : 어떤 것을 선택함으로써 얻게 되는 이익이나 만족감

③ 합리적 선택 : 최소 비용의 최대 편익, 기회비용보다 편익이 더 큰 것을 선택함

2 기업의 역할과 사회적 책임

(1) 기업의 역할

1) 기업의 의미와 목적

① 의미 : 생산 활동을 담당하는 경제활동의 주체

② 유형 : 자영업, 중소기업, 대기업, 다국적 기업

③ 목적 : 이윤추구

2) 기업의 역할

① 이윤을 늘리기 위한 생산 활동 : 기술혁신 등으로 생산비용을 낮추고 높은 품질을 생산하려 함

② 고용 창출과 소득 증가 : 기업의 수가 늘어나거나 기업의 규모가 커지면 고용이 늘어나고, 국민의 소득도 늘어남 ⇒ 국민 생활수준 향상

③ 세금 납부 : 기업이 납부한 세금은 국가 운영의 중요한 재원

(2) 기업의 사회적 책임과 기업가 정신

1) 기업의 사회적 책임

① 의미 : 오늘날 기업이 국가 경제에 차지하는 비중과 영향력이 커짐

② 기업의 사회적 책임들

- 소비자를 위한 안전한 제품을 생산
- 근로자의 권리를 보호
- 공정한 경쟁 및 공정한 거래, 환경오염을 최소화
- 자원 봉사 및 장학 사업 등을 통해 공동체의 발전을 위해 노력해야 함

2) 기업가 정신

① 의미 : 혁신과 창의성을 바탕으로 이윤을 얻기 위해 위험을 무릅쓰고 도전하는 자세

② 내용

- 불확실한 미래를 예측하는 통찰력과 새로운 것에 도전하는 혁신 정신
- 남과 다른 생각을 하는 창의성
- 위험을 극복하는 인내심과 소신

3 금융생활의 중요성

(1) 생애 주기에 따른 경제생활

1) **생애 주기 의미** : 시간의 흐름에 따라 개인의 삶이 어떻게 변하는지를 단계별로 나타낸 것

2) **생애 주기 단계**

① 아동기 : 주로 부모의 소득에 의존, 지식과 규범을 학습함

② 청년기 : 취업으로 소득이 발생하고, 결혼과 자녀 출산 등을 준비함

③ 중 · 장년기 : 소득이 크게 늘지만 자녀양육, 주택구입 등으로 소비 또한 증가

④ 노년기 : 은퇴로 소득이 줄거나 없어지며, 의료비가 증가

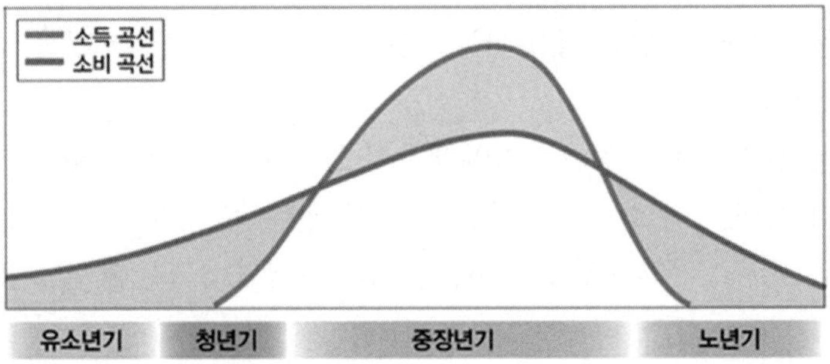

(2) 자산관리와 합리적 자산관리

1) **자산관리 의미** : 개인의 소비생활은 평생이지만 소득의 발생 기간은 한정되어 있음

⇒ 장기적으로 소득을 관리해야 함

※ 저축 수단

- 예금 및 적금 : 정해진 이자를 기대하고 금융기관에 돈을 맡기는 것
- 주식 : 주식회사가 사업자금을 조달하기 위해서 투자자로부터 돈을 받고 발행하는 증서
- 채권 : 정부, 기업 등이 돈을 빌리면서 일정기간에 돈을 갚겠다고 발행한 증서

2) 자산관리의 기본 원칙

① 자산의 안전성

- 의미 : 투자한 원금을 잃지 않고 보장되는 정도
- 예금 및 적금 : 원금 손실이 거의 없어 안전성이 높음

② 자산의 수익성

- 의미 : 투자를 통해 이익을 얻을 수 있는 정도
- 주식 및 채권은 예금보다 수익성이 높음

③ 자산의 유동성

- 의미 : 필요할 때 쉽게 현금으로 바꿀 수 있는 정도
- 예금은 언제든지 현금으로 바꿀 수 있으나 부동산은 시간이 오래 걸려서 유동성이 낮음

3) 합리적 자산관리

① 저축이나 투자의 목적과 기간에 따라 안전성, 수익성, 유동성을 고려

② 분산 투자(포트폴리오)를 통해 자산을 운영

③ 소득에 맞게 소비 생활을 하고 계획적인 지출을 할 것

(3) 신용관리

1) 신용의 의미 : 미래의 일정 시점에 지불할 것을 약속하고 상품이나 돈을 빌릴 수 있는 능력

2) 신용관리

① 중요성

- 신용이 나쁘면 신용 거래를 할 수 없음
- 금융 기관을 이용 시 다른 사람보다 높은 이자를 부담하거나 대출 거절 등의 불이익 발생
- 신용카드 발급 및 휴대전화 가입 등에 제한이 될 수 있음
- 취업에도 어려움을 겪을 수 있음

② 방법

- 갚을 수 있는 범위 내에서 소비하며, 과도한 부채를 지지 않도록 함
- 상환 약속을 잘 지키고 세금 및 공과금 등을 연체하지 않도록 함
- 주거래 은행과 거래를 하며 자신의 신용 정보를 확인하고 함

Exercises

01 **다음 중에서 서비스에 해당하는 것은?**

① 핸드폰　　② TV

③ 의사의 진료　　④ 자동차

02 **다음에서 설명하는 경제 활동의 예가 <u>아닌</u> 것은?**

재화와 서비스를 만들거나 가치를 증대시키는 활동

① 집에서 먹기 위해 만든 떡볶이

② 밥버거를 만들어 판매하였다.

③ 전문의 자격이 3개 있는 의사의 진료

④ 돌침대를 만들어 판매하였다.

03 **다음 도표에서 A에 해당하는 경제 주체는?**

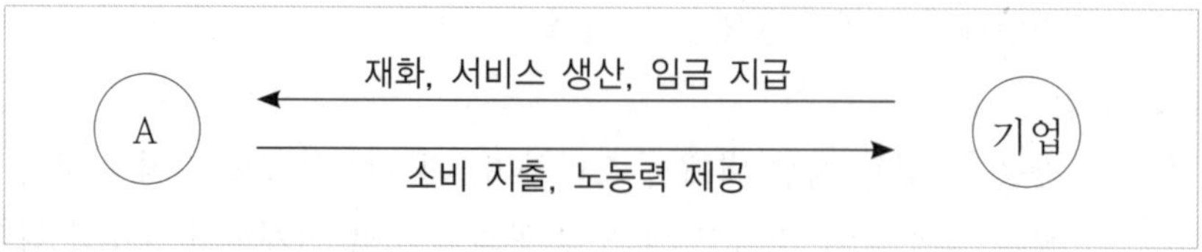

① 정부　　② 기업　　③ 가계　　④ 외국

04 다음 내용과 관련이 있는 경제 용어는?

· 인어공주는 사랑하는 왕자를 만나기 위해 마녀에게 목소리를 주고 인간의 다리를 얻었다.
· 갑(甲)은 좋아하는 가수의 공연에 가는 대신 검정고시에 대비하여 도서관에서 공부를 하였다.

① 재화
② 기회비용
③ 경제 문제
④ 자원의 희소성

05 다음 〈보기〉에서 설명하는 것은?

〈보기〉

· 시장 가격에 기초하여 자유롭게 의사가 결정됨
· 빈부격차 및 환경오염이 발생할 수 있음

① 계획 경제 체제
② 원시 경제 체제
③ 혼합 경제 체제
④ 시장 경제 체제

06 다음 밑줄 친 '이 시기'에 해당하는 생애 주기는?

이 시기에는 주로 취업과 결혼을 준비한다. 또한 성인으로서 신념을 확립하고 경제적 독립을 성취하기 위한 노력을 기울인다.

① 아동기
② 청년기
③ 중년기
④ 노년기

07 **다음 글이 설명하는 개념은?**

창업에 성공하기 위해서는 불확실한 미래를 예측하는 통찰력과 새로운 것에 도전하는 혁신 정신, 그리고 남과 다른 생각을 하는 창의성이 필요하다. 이와 같은 정신을 총칭하는 말로서 이는 경제를 발전시키는 원동력이 된다.

① 직업 정신　② 소비자 정신
③ 장인 정신　④ 기업가 정신

08 **다음 (가), (나)에 해당하는 저축 수단은?**

(가) 이자 수입을 목적으로 하여 원금 손실의 위험이 가장 낮다. (나) 정부, 기업 등이 돈을 빌리면서 언제까지 갚겠다는 것을 적어 발행하는 증서

	(가)	(나)		(가)	(나)
①	예금	주식	②	주식	펀드
③	채권	연금	④	예금	채권

09 **다음 〈보기〉의 밑줄 친 '이것'에 해당하는 용어로 가장 알맞은 것은?**

〈보기〉

· 이것은 시간의 흐름에 따라 나의 삶이 어떻게 변화하는지를 몇 단계로 나타낸 것이다. · 이것에 따른 수입과 지출을 살펴보고 장기적 관점에서 계획을 세워야 한다.

① 자산 관리　② 생애 주기
③ 신용 관리　④ 기업가 정신

10 신용관리를 위한 원칙을 〈보기〉에서 고른 것은?

〈보기〉

A. 사금융 대출은 가급적 받지 않는다.
B. 주거래 금융기관을 정하여 거래한다.
C. 여러 금융 기관을 방문하여 신용 조회를 한다.
D. 각 신용 카드의 결제일이 다른 경우 한 카드의 현금 서비스를 받아 다른 카드의 대금을 지급한다.

① A, B ② A, C ③ B, C ④ C, D

11 (가)에 공통으로 들어갈 단어는?

· (가)은(는) 장래에 갚을 것을 약속하고 현재에 돈을 빌려 사용할 수 있는 능력을 의미한다.
· (가)을(를) 잘 관리하기 위해서는 지나치게 많은 빚을 지지 않고 과소비나 연체를 하지 말아야 한다.

① 신용 ② 이윤
③ 세금 ④ 배당

정답 : 1. ③ 2. ① 3. ③ 4. ② 5. ④ 6. ② 7. ④ 8. ④ 9. ② 10. ① 11. ①

04 시장경제와 가격

1 시장의 의미와 종류

(1) 시장의 의미 : 재화나 서비스를 사려는 사람과 팔려는 사람이 모여 거래하는 곳

(2) 시장의 역할

1) 여러 곳의 다른 장소를 돌아다닐 필요 없이 시장에서 효율적인 거래를 할 수 있음
2) 재화나 서비스의 다양한 정보를 얻을 수 있음
3) 다양한 상품을 선택할 수 있음

(3) 시장의 종류

1) 거래 형태

① 눈에 보이는 시장
- 의미 : 구체적인 장소에 시설을 갖추고 상품이 거래되는 모습이 눈에 보이는 시장
  예 대형 마트, 전통재래 시장, 백화점 등

② 눈에 보이지 않는 시장
- 의미 : 구체적인 장소가 드러나지 않고 상품이 거래되는 모습 또한 눈에 보이지 않는 시장 예 주식 시장, 외환 시장, 전자 상거래 등

2) 거래하는 상품의 종류

① 생산물 시장
- 의미 : 재화나 서비스가 거래되는 시장
  예 대형 마트, 전통재래 시장, 백화점

② 생산 요소 시장
- 의미 : 생산 요소인 토지, 노동, 자본 등이 거래되는 시장
  예 부동산 시장, 노동 시장, 주식 시장 등

3) 새로운 형태의 시장 등장 : 정보 통신과 인터넷 등의 발달로 시간과 장소에 제약이 없는 새로운 시장이 나타남 예 인터넷 시장, 해외 상품, 구매대행 시장 등

2 시장 가격의 결정

(1) 수요

1) **수요의 의미** : 어떤 상품을 사고자하는 욕구

2) **수요량과 수요법칙**

① 수요량 : 일정한 가격에 수요자가 상품을 사고자 하는 상품의 양

② 수요법칙 : 가격이 오르면 수요는 감소하고, 가격이 내리면 수요는 증가하는 것

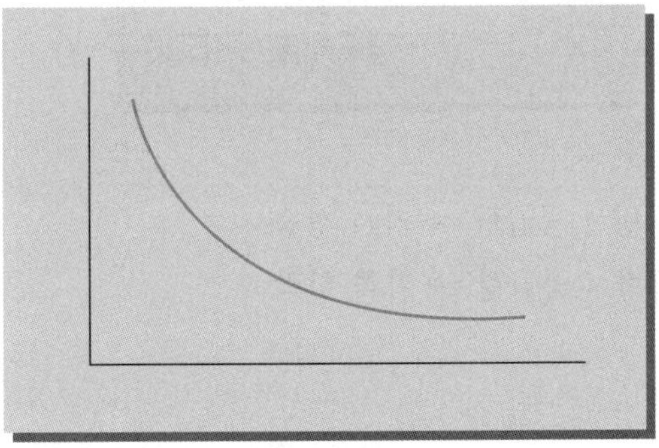

▲ 수요곡선

(2) 공급

1) **공급의 의미** : 어떤 상품을 팔고자하는 욕구

2) **공급량과 공급법칙**

① 공급량 : 일정한 가격에 공급자가 상품을 팔고자 하는 상품의 양

② 공급법칙 : 가격이 오르면 공급은 증가하고, 가격이 내리면 공급은 감소하는 것

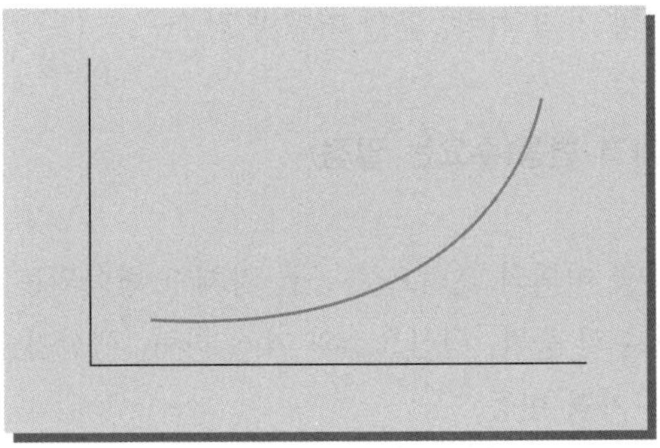

▲ 공급곡선

(3) 시장 가격과 균형 거래량

1) **시장 가격(균형 가격)** : 수요량과 공급량이 일치하는 지점에서 형성

2) **균형 거래량** : 균형 가격에서 거래되는 수량

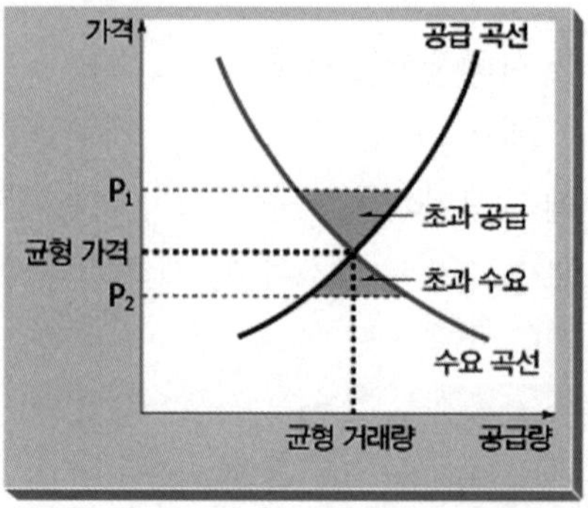

3) **초과 수요** : 수요량 〉 공급량 ⇒ 가격 상승

4) **초과 공급** : 수요량 〈 공급량 ⇒ 가격 하락

3 시장 가격의 변동

(1) 수요 변화에 따른 가격 변동(공급은 일정)

1) 수요의 변화

① 의미 : 상품 가격 이외의 요인으로 수요 자체가 변화되는 것

② 요인 : 소득 증가, 인구 증가, 대체재 가격의 상승 등

2) 수요 변화에 따른 가격 변동

① 수요 증가 : 균형 가격 상승, 균형 거래량 증가

② 수요 감소 : 균형 가격 하락, 균형 거래량 감소

(2) 공급 변화에 따른 가격 변동(수요는 일정)

1) 공급의 변화

① 의미 : 상품 가격 이외의 요인으로 공급 자체가 변화되는 것

② 요인 : 공급자 수의 증가, 생산요소의 가격 하락, 생산기술 발달 등

2) 공급 변화에 따른 가격 변동

① 공급 증가 : 균형 가격 하락, 균형 거래량 증가

② 공급 감소 : 균형 가격 상승, 균형 거래량 감소

Exercises

01 **다음 밑줄 친 '이곳'이 의미하는 것은?**

> · 이곳은 상품을 사고자 하는 사람과 팔려고 하는 사람이 만나 거래하는 곳이다.
> · 이곳은 눈에 보이는 곳과 보이지 않는 곳으로 구분된다.
> · 이곳은 화폐의 등장으로 더욱 발달하였다.

① 시장 ② 전자 상거래
③ 물물교환 ④ 자산

02 **다음 〈보기〉의 밑줄 친 내용과 같은 성격의 시장은?**

〈보기〉
> 한양이는 한양마트에서 삼겹살과 콜라를 샀다.

① 홈쇼핑 ② 외환 시장
③ 백화점 ④ 주식 시장

03 **수요에 대한 설명으로 옳은 것은?**

① 상품이 거래되는 공간
② 시장에서 형성되는 가격
③ 가격이 오르면 수요는 증가
④ 상품을 사고자 하는 욕구

04 **다음 〈보기〉와 관련된 것은?**

〈보기〉
> 가격이 올라가면 공급량은 증가하며, 가격이 내려가면 공급량은 감소한다.

① 공급 ② 수요
③ 균형가격 ④ 초과 공급

05 그래프에서 가격을 300원에서 400원으로 올리면 수요량의 변화는?

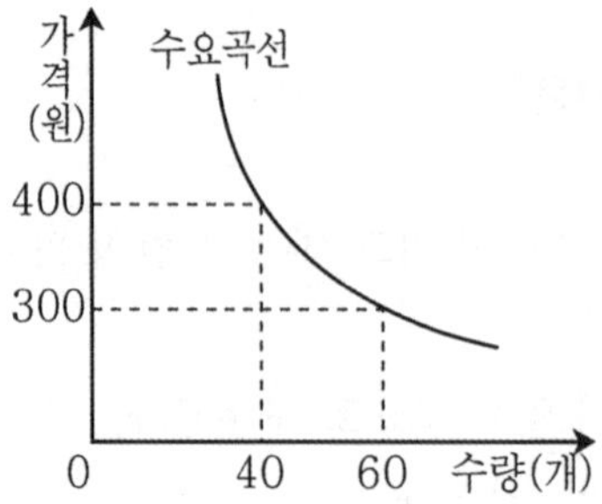

① 40개 증가
② 40개 감소
③ 20개 증가
④ 20개 감소

06 어떤 제품의 수요량과 공급량을 나타낸 표이다. 시장(균형) 가격은?

가격(원)	100	200	300	400	500
수요량(개)	100	80	60	40	20
공급량(개)	20	40	60	80	100

① 100원 ② 200원 ③ 300원 ④ 400원

07 다음은 어떤 상품의 수요와 공급 그래프이다. 균형(시장) 가격으로 알맞은 것은?

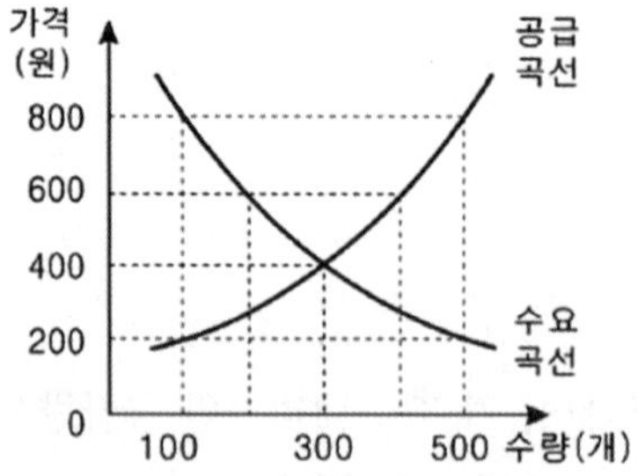

① 200원
② 400원
③ 600원
④ 800원

08

그래프와 같이 수요 곡선이 이동했을 때, 균형 가격과 균형 거래량의 변화로 옳은 것은? (단, 다른 조건은 일정함.)

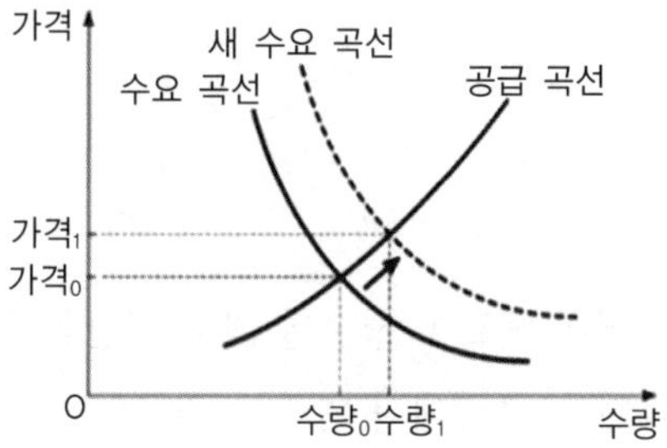

	균형 가격	균형 거래량
①	상승	감소
②	하락	증가
③	상승	증가
④	하락	감소

09

빈칸 A에 들어갈 내용으로 가장 적절한 것은?

> 아이스크림에 가장 중요한 재료가 우유인데, 우유 가격이 계속 인상되고, 인건비까지 오르고 있으니 생산해봤자 남는 것도 없어서 당분간은 아이스크림의 (　　　A　　　).

① 공급을 줄여야겠어　　② 공급을 늘려야겠어

③ 수요를 늘려야겠어　　④ 수요를 줄여야겠어

정답 : 1. ①　2. ③　3. ④　4. ①　5. ④　6. ③　7. ②　8. ③　9. ①

05 국민 경제와 국제 거래

1 국내 총생산과 경제 성장

(1) 국내 총생산의 의미와 유용성

1) 국내 총생산(GDP)의 의미

① 의미 : 일정 기간 동안 한 나라 안에서 새로이 생산된 최종 생산물의 시장 가격의 합

예 한국에서 일하는 한국인 + 한국에서 일하는 외국인

② 유용성 : 한 나라의 생산 규모나 국민 전체의 소득을 파악하기가 유용함

2) 1인당 국내 총생산

① 의미 : 국내 총생산을 그 나라 인구수로 나눈 것

② 유용성 : 국가 간 국민들의 경제수준을 비교

(2) 국내 총생산의 한계

1) 시장에서 거래되는 재화나 서비스만 포함 : 자급자족, 봉사활동, 가사활동 등 시장에서 거래되지 않는 것은 제외

2) 삶의 질을 파악하기 어려움 : 국민의 삶의 질 수준을 완벽히 파악하기 어려움

3) 빈부 격차의 정도를 알기 어려움

(3) 경제 성장의 의미와 영향

1) 경제 성장의 의미 : 국내 총생산량이 증가하는 것

2) 경제 성장률

① 의미 : 물가 변동을 제거한 실질 국내 총생산의 증가율

② 공식 : $$\text{경제 성장률}(\%) = \frac{\text{금년도 실질 } GDP - \text{전년도의 실질 } GDP}{\text{전년도의 실질 } GDP} \times 100$$

3) 경제 성장의 영향

① 긍정적 영향 : 일자리 증가, 물질적 풍요, 높은 교육과 의료, 삶의 질 향상 등

② 부정적 영향 : 자원의 고갈 및 환경오염, 빈부격차 심화 등

4) 경제 성장을 위한 노력

① 가계 : 합리적 소비와 저축, 근로자는 지식 및 기술 습득 노력

② 기업 : 시설 및 연구 개발, 기술 향상, 근로자에 대한 교육

③ 정부 : 합리적 제도 마련 및 지원

2 물가와 실업

(1) 물가와 물가 지수

1) **물가** : 시장에서 거래되는 상품과 서비스의 가격을 종합하여 평균한 것

2) **물가 지수** : 물가가 얼마나 오르고 내렸는지를 측정하기 위해 수치로 나타낸 것

(2) 인플레이션

1) **의미** : 물가가 지속적으로 오르는 현상

2) **원인**

① 총수요의 증가 : 가계의 소비, 기업의 투자, 정부의 지출 증가로 상품에 대한 총수요가 증가

② 생산비 상승 : 생산요소(토지, 노동, 자본) 등이 상승하여 기업들이 공급을 줄여 물가가 상승

③ 통화량의 증가 : 통화량의 증가로 화폐의 가치가 하락

3) **영향**

① 소득의 불공정한 분배

- 유리한 사람 : 실물 자산가, 채무자, 수입업자 등
- 불리한 사람 : 금융 자산가, 채권자, 수출업자 등

② 구매력 감소 : 상품 구매력 감소 ⇒ 생활수준 하락

③ 무역 불균형 발생 : 수출 가격 상승 ⇒ 수출 감소, 수입 증가

(3) 물가 안정을 위한 노력

1) **가계** : 지나친 임금 인상 자제, 합리적 소비, 과소비 억제

2) **기업** : 효율적 경영, 생산성 향상

3) **국가**

- 정부 : 재정 지출을 줄이고 세율을 인상
- 중앙은행 : 이자율을 높여 시중에 유통되는 통화를 줄임

(4) 실업

1) **의미** : 일할 의사와 능력이 있지만 일자리를 구하지 못한 상태

2) **실업자에 포함되지 않는 사람** : 어린이, 학생, 전업주부, 구직 포기자 등

3) 실업의 종류와 대책

구분	종류	원인	대책
자발적	마찰적 실업	더 나은 직장을 구하기 위해 일시적으로 그만두는 경우	취업 정보 제공
비자발적	경기적 실업	경기 침체로 기업이 고용을 줄이는 경우 예 경기침체 ⇒ 조선업 침체	정부의 경기 활성화 정책
	구조적 실업	산업 구조의 변화로 일자리가 사라지는 경우 예 버스 안내양 등	기술 교육 실시
	계절적 실업	계절의 영향으로 일자리가 줄어드는 경우 예 농업인, 스키강사 등	공공 사업 실시

4) 실업의 영향

① 개인적 측면 : 소득 감소로 인한 경제적 고통, 자아 존중감 상실과 같은 정신적 고통 등

② 사회적 측면 : 소비 감소 ⇒ 경기 침체(기업의 생산과 투자 감소), 인적낭비, 가족해체, 생계형 범죄 증가, 빈곤층의 확대 등

5) 고용 안정을 위한 노력

① 근로자 : 끊임없는 자기 개발

② 기업 : 신기술과 제품 개발, 새로운 시장 개척, 고용의 안정(정규직화) 등

③ 정부 : 실업자를 위한 복지 정책 실시, 직업 훈련 프로그램 마련, 기업의 고용확대를 위한 사업 환경 개선 등

3 국제 경제의 이해

(1) 국제 거래의 이해

1) 국제 거래의 의미와 원리

① 국제 거래의 의미 : 국가 간에 상품, 원료, 기술, 자본, 노동 등이 거래되는 것

② 국제 거래의 발생 원인 : 국가마다 생산비의 차이가 발생

③ 국제 거래의 원리 : 다른 나라에 비해 생산에 유리한 품목을 특화하여 교역함

- 절대우위 : 한 국가가 다른 국가에 비해 더 저렴한 비용으로 상품을 생산할 수 있는 능력
- 비교우위 : 한 국가가 다른 국가에 비해 상대적으로 더 낮은 비용을 들여 상품을 생산할 수 있는 능력

2) **국제 거래의 특징**

① 관세 부과 : 수출 · 수입 과정에서 세금 부과

② 무역 장벽 : 국가마다 제도, 문화, 정책 등으로 특정 상품에 대해 수입을 규제 · 금지함

③ 가격 차이 발생 : 동일한 상품이라도 국가마다 가격이 다름

④ 시장 규모 확대 : 전 세계를 대상으로 하기 때문에 시장의 규모가 큼

3) **국제 거래의 확대**

① 세계화 및 개방화 : 각국이 국경을 초월하여 협력 및 경쟁함

② 교통과 통신의 발달 : 국가 사이의 국제 거래가 활발해짐

③ 세계 무역 기구(WTO)의 출범 : 국가 간 자유 무역과 세계 교역의 증진을 목적으로 설립

④ 지역 경제 협력체 구성 : 각 나라별로 경제 협력을 강화하기 위해 설립

예 EU, APEC, ASEAN, NAFTA 등

⑤ 자유 무역 협정(FTA) 체결 : 개별 국가 간 또는 개별 국가와 지역 경제 협력체 간 무역의 장벽을 낮추거나 자유 무역을 추구함

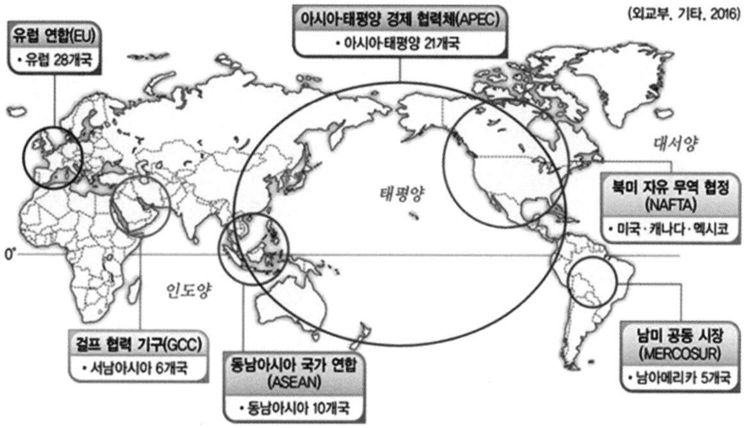

(2) 환율

1) **의미** : 자국 화폐와 외국 화폐의 교환 비율 예 1,200/달러

2) **결정** : 외환 시장에서 외국 화폐의 수요와 공급에 의해 결정됨

3) **변동**

① 환율 상승 : 외환에 대한 수요 증가 ⇒ 원화의 가치 하락

② 환율 하락 : 외환에 대한 공급 증가 ⇒ 원화의 가치 상승

4) 변동의 영향

	환율 상승	환율 하락
표현의 예	(1$=1,000원 ⇒ 1$=1,200원)	(1$=1,000원 ⇒ 1$=800원)
원화의 가치	원화의 가치 하락	원화의 가치 상승
영향	수출 증가, 수입 감소	수출 감소, 수입 증가
	물가 상승(원자재 가격 상승)	물가 하락(원자재 가격 하락)
	외국인의 국내 여행 증가	외국인의 국내 여행 감소
	해외 관광 및 유학 감소	해외 관광 및 유학 증가
	외채상환에 대한 부담 증가	외채상환에 대한 부담 감소

Exercises

01 **다음에서 설명하는 것으로 알맞은 말은?**

> · 한 나라의 경제 활동 규모를 판단할 수 있는 대표적인 국민 경제 지표이다.
> · 일정 기간 동안 한 나라 안에서 새롭게 생산된 최종 생산물의 가치를 시장 가격으로 환산한 것이다.

① 국내 총생산 ② 국민 총생산
③ 물가 상승률 ④ 경제 성장

02 **국내 총생산(GDP)에 대한 설명으로 옳은 것은?**

① 한 나라의 행복도를 정확하게 반영한다.
② 한 나라의 소득 분배 상태를 나타내는 지표이다.
③ 주부의 가사 노동은 GDP의 큰 부분을 차지한다.
④ 국가 간의 경제 규모를 비교할 수 있는 지표이다.

03 **다른 나라와 우리나라의 평균적인 생활수준을 비교하고자 할 때 필요한 경제 지표는?**

① 국제 수지 ② 국내 총생산
③ 경제 성장률 ④ 1인당 국내 총생산

04 **다음에서 설명하는 경제 개념은?**

> 어떤 재화가 생산비나 생산량에서 다른 나라보다 상대적으로 유리한 위치에 있는 것을 말한다.

① 보호무역 ② 공정무역
③ 비교우위 ④ 절대우위

05 **다음 내용과 가장 관계가 깊은 국제기구는?**

· 세계는 이념과 체제를 초월하여 무한경쟁 시대로 진입하고 있다.
· 공산품과 농산물 및 서비스 교역에까지 무역 자유화를 추구한다.
· 시장 개방의 확대와 공정한 무역 경쟁을 위해 1995년에 출범하였다.

① 국제 통화 기금(IMF) ② 세계 무역 기구(WTO)
③ 국제 부흥 개발 은행(IBRD) ④ 경제 협력 개발 기구(OECD)

06 **국가 간에 무역이 이루어지는 근본적인 이유는?**

① 인구 수의 차이 ② 생산 방식의 차이
③ 생산 비용의 차이 ④ 사회 제도의 차이

07 **한 나라에서 국제 경쟁력을 높이기 위해 특정한 산업이나 주력 수출상품을 전문화하는 것은?**

① 대중화 ② 특화
③ 분산화 ④ 획일화

08 **인플레이션이 발생하는 경우 가장 유리한 사람은?**

① 부동산 소유자 ② 채권자
③ 현금 보유자 ④ 봉급생활자

09 다음에 나타난 환율의 변동을 바르게 설명한 것은?

1달러 = 1,000원 [변동] 1달러 = 1,500원

① 환율 상승, 원화 가치 상승
② 환율 상승, 원화 가치 하락
③ 환율 하락, 원화 가치 상승
④ 환율 하락, 원화 가치 하락

10 두 사람의 대화 내용에 해당하는 실업의 종류는?

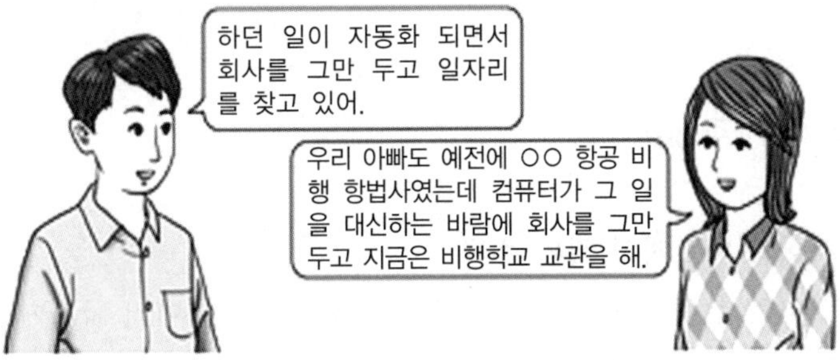

① 계절적 실업　　② 경기적 실업
③ 마찰적 실업　　④ 구조적 실업

11 실업이 미치는 영향으로 가장 적절한 것은?

① 심리적으로 안정되고 자신감이 상승한다.
② 직업을 통한 자아실현의 기회가 확대된다.
③ 소득이 줄어들어 경제적으로 어려워질 수 있다.
④ 소비가 증가하여 기업의 생산 활동이 활발해진다.

정답 : 1. ① 2. ④ 3. ④ 4. ③ 5. ② 6. ③ 7. ② 8. ① 9. ② 10. ④ 11. ③

06 국제 사회와 국제 정치

1 국제 사회의 이해

(1) 국제 사회의 의미와 특징

1) **의미** : 여러 나라가 서로 교류하고 의존하면서 공존하는 사회

2) **특성**

① 중앙 정부의 부재 : 국가 간 분쟁이 발생할 경우 이를 조정해줄 중앙 정부가 없음

② 힘의 논리 작용 : 원칙적으로 각국은 평등하지만 실제로는 강대국의 영향력이 큼

③ 자국의 이익 최우선 추구 : 자국의 이익을 위해서는 다른 나라와 협력 또는 단절을 함

④ 국제 협력 도모 : 국제 사회의 문제들을 해결하기 위해 국가 간 협력과 공동의 이익 추구

(2) 국제 사회의 행위 주체들

1) **국가**

① 국제 사회의 대표적인 행위 주체

② 자국의 이익 추구와 자국민 보호를 위한 외교 활동, 여러 국제기구에 가입하여 활동

2) **국제기구**

① 정부 간 국제기구

- 의미 : 각 나라의 정부가 회원국으로 하는 국제기구

예 국제 연합(UN), 유럽 연합(EU), 세계 무역 기구(WTO) 등

② 국제 비정부 기구

- 의미 : 국경을 초월하여 활동하는 민간단체를 회원으로 하는 국제기구

예 국경 없는 의사회, 그린피스, 국제 적십자사 등

3) **다국적 기업**

- 의미 : 국경을 넘어 세계 여러 나라에 진출하여 생산과 판매를 하는 기업
- 특징 : 세계화에 따라 규모가 확대되고 있으며 국제 사회에 많은 영향을 끼침

예 코카콜라, GM, 삼성, LG 등

4) **영향력이 강한 개인**

- 의미 : 개인이지만 국제 사회에 강한 영향력을 끼침

예 교황, 국제연합(UN) 사무총장 등

2 국제 사회의 갈등과 협력

(1) 국제 사회의 갈등

1) **원인** : 자국의 이익 추구를 우선시함

2) **사례**

① 자원 관련 : 석유와 같은 지하자원, 국제하천의 이용 분쟁 등

② 종교 관련 : 카슈미르 지역, 예루살렘 지역 등과 같은 분쟁

③ 환경 관련 : 온실가스, 오존층 파괴 등과 같은 분쟁

④ 영유권 관련 : 시사군도, 난사군도, 센카쿠 열도, 쿠릴 열도 등

(2) 국제 사회의 협력과 공존을 위한 노력들

1) 당사국 간의 대화와 양보 등을 통한 평화적 해결

2) **외교** : 자국의 이익을 위해 한 국가가 국제 사회에서 평화적 방법으로 목적을 달성하려고하는 모든 외적 활동

3) 국제 사회의 분쟁을 해결하기 위해서는 국제법 · 국제기구를 활용함

3 우리나라와 주변국의 갈등 문제

(1) 주변국과의 갈등

1) **우리나라와 일본과의 갈등**

① 독도 영유권 주장

② 위안부 관련 문제

③ 역사 왜곡 문제 : 일본의 역사 교과서에 고대사, 독도, 위안부 등의 왜곡된 역사를 기록하고 가르침

2) **우리나라와 중국과의 갈등**

① 역사 왜곡 "동북 공정" 문제 : 중국은 과거 자국 영토 안의 모든 역사를 자신의 역사라 주장하여 고조선, 고구려, 발해를 중국의 고대 소수민족의 지방 정권으로 왜곡함

② 영유권 문제 : 간도, 이어도 주변 등

③ 조업 관련 문제 : 허가받지 않고 우리 영해로 들어오는 중국의 불법 조업 어선 등

④ 기타 : 미세먼지, 황사 등

3) **다른 국가와의 갈등** : 문화재 반환, 환경 등

(2) 갈등 해결을 위한 노력

1) 정부의 노력

① 상대 국가에 공식적으로 항의

② 평화적 해결을 위한 다양한 외교 정책을 펼침

③ 우리의 주장을 뒷받침할 객관적 근거를 제시하고 국내외에 홍보 및 교육

2) 시민 사회의 노력

① 민간 전문가나 시민 단체 등을 활용하여 다양한 홍보와 교육

② 국가 간 공동연구를 통해 서로의 인식 차이를 확인하고 사실관계를 확인하며 해결

01 **국제 사회에 대한 설명으로 옳은 것은?**

① 세계화의 영향으로 국가 간 상호 의존성이 약화되고 있다.
② 공동으로 대처해야 할 국제 문제가 점점 커지고 있다.
③ 특정 국가와 단체들을 기본 단위로 한다.
④ 오늘날 정치와 경제 분야만 교류한다.

02 **다음 내용의 밑줄 친 부분을 통해 알 수 있는 국제 사회의 특징은?**

> 국제 연합(UN) 안전 보장 이사회는 상임 이사국 5개국을 포함해 9개국으로 이루어져 있다. <u>상임 이사국인 미국, 영국, 프랑스, 러시아, 중국 중 한 국가라도 거부권을 행사하면 그 안건은 폐기된다</u>.

① 중앙정부가 없다.
② 모든 국가는 평등하다.
③ 힘의 논리가 적용된다.
④ 국제 협력이 강화되고 있다.

03 **다음 〈보기〉 기구들의 공통점은?**

〈보기〉

· 그린피스 · 국경없는 의사회 · 국제 적십자

① 정권획득을 목적으로 한다.
② 국가 간 갈등시 강제력을 행사한다.
③ 국가와 민간 단체가 결합한 형태이다.
④ 국경을 넘어 활동하고 있다.

04 **다음 내용에서 설명하는 용어는?**

> · 한 국가가 국제 사회에서 자국의 정치적 목적이나 이익을 평화적으로 실현 하기 위해 수행하는 모든 행위
> · 국제 사회의 경쟁과 갈등 해소, 국제 사회의 공존을 위해

① 전쟁 ② 평화
③ 외교 ④ 세계 시민 의식

05 **밑줄 친 '이곳'에 해당하는 지역은?**

> 이곳은 명백한 우리나라의 영토이다. 하지만 일본은 이곳을 선점함으로써 얻을 수 있는 이익을 위해 이곳에 대한 영유권을 주장하면서 우리나라와 일본 간에 외교 마찰이 발생하고 있다.

① 독도 ② 간도 ③ 이어도 ④ 백령도

06 **빈칸 A에 들어갈 국가로 알맞은 것은?**

> (A)은(는) 잘못된 역사 인식으로 인한 역사 교과서 왜곡 문제를 비롯하여 침략 전쟁 당시의 '위안부' 강제 동원 문제와 야스쿠니 신사 참배 문제 등을 둘러싸고 우리나라와 갈등을 겪고 있다.

① 중국 ② 일본 ③ 러시아 ④ 베트남

07 **밑줄 친 '이것'에 대한 설명으로 옳은 것은?**

> 이것은 '동북 변경 지역의 역사와 현상에 관한 연구 과제'를 줄인 말이다. 즉, 이것은 현재 중국의 국경 안에서 나타난 역사는 모두 중국의 역사로 만들기 위해 중국이 추진한 사업으로, 중국 동북 지방의 과거와 현재, 미래에 관련된 문제들을 연구하는 것이다.

① 동북 공정 ② 서남 공정 ③ 동남 공정 ④ 서북 공정

08 **중국이 동북 공정을 추진한 배경으로 적절한 것을 고르면?**

ㄱ. 우리나라의 고대사 연구를 도와주기 위해
ㄴ. 중국 내 소수 민족의 독립을 방지하기 위해
ㄷ. 동북지역의 자원을 선점하기 위해
ㄹ. 한반도 통일 이후 영토 분쟁의 가능성을 줄이기 위해

① ㄱ, ㄴ　② ㄴ, ㄷ
③ ㄱ, ㄹ　④ ㄴ, ㄹ

09 **국가 간 갈등을 해결하기 위한 자세로 옳지 <u>않은</u> 것은?**

① 갈등의 원인을 파악한다.
② 갈등이 발생하면 물리적으로 해결한다.
③ 상호 협력과 이해를 통해 문제를 해결한다.
④ 지속적인 관심을 가지고 적극적으로 참여한다.

10 **다음은 국가 간 갈등에 관련된 설명이다. 밑줄 친 ㉠~㉣ 중 옳지 <u>않은</u> 것은?**

㉠ <u>국가 간 관계에서는 각자 자국의 이익을 추구하는 과정에서 갈등이 발생하기 쉽다</u>. 이러한 ㉡ <u>국가 간 갈등을 해결하기 위해서는 정부의 적극적인 대응이 필요하다</u>. 정부는 관련 문제의 해결을 위해 필요한 연구에 관하여 관심을 가지고 적극적으로 지원해야 하며, ㉢ <u>국제 사회가 관련 문제에 대한 우리의 입장을 지지할 수 있도록 외교 활동을 펼쳐 나가야 한다</u>. 즉, 다른 나라와의 사이에서 발생하는 ㉣ <u>모든 갈등은 개인이나 민간단체의 개입 없이 정부 차원에서만 해결해야 한다</u>.

① ㉠　② ㉡　③ ㉢　④ ㉣

정답 : 1. ② 2. ③ 3. ④ 4. ③ 5. ① 6. ② 7. ① 8. ④ 9. ② 10. ④

07 인구 변화와 인구 문제

1 인구 분포

(1) 불균등한 인구 분포

1) 세계의 인구 분포

① 기후가 온화한 북위 20°~40° 지역, 평야지대, 해안지역에 많은 인구가 거주

② 아시아 및 유럽지역에 인구가 많이 거주하고 오세아니아는 인구가 적게 거주

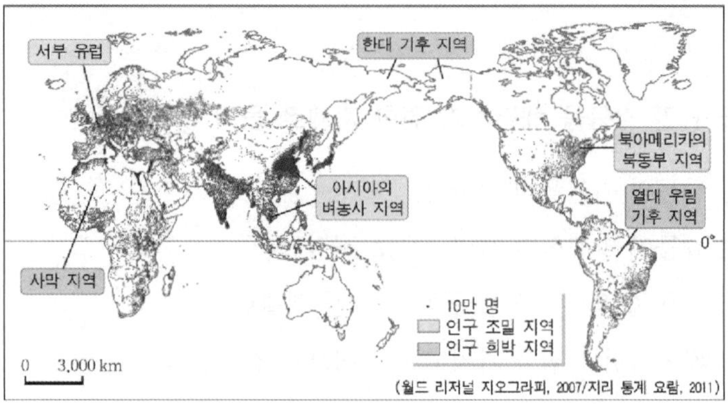

▲ 세계의 인구

2) 인구 분포에 미치는 요인

① 자연적 요인 : 지형, 기후, 강수량 등

- 인구 밀집 : 온화한 기후, 하천지역, 평야지대 등 농업에 유리한 지역
- 인구 희박 : 건조지역, 한대기후, 산악 지대 등

② 인문 · 사회적 요인 : 경제, 산업, 교통, 문화 등

- 인구 밀집 : 일자리가 많고 편리한 교통 및 문화시설 등이 잘 갖춰진 지역 등
- 인구 희박 : 일자리가 부족하며 교통이 불편한 지역, 치안이 불안한 지역 등

(2) 우리나라의 인구 분포

1) 산업화 이전(1960년대 이전) : 평야가 발달한 남서부 지역에 인구 집중

2) 산업화 이후 : 수도권과 대도시, 남동임해 공업지역에 인구 집중

2 인구 이동

(1) 인구 이동

1) 의미 : 사람들이 한 장소에서 다른 장소로 옮겨가는 것

2) 이동의 요인

① 흡입요인(유입요인)

- 의미 : 인구를 끌어 들이는 요인

  예 많은 일자리, 온화한 기후, 높은 인프라 시설 등

② 배출요인(유출요인)

- 의미 : 인구를 다른 지역으로 밀어내는 요인

  예 일자리 부족, 치안 불안, 자연재해 등

(2) 다양한 인구 이동

1) 국제 이동

① 원인 : 과거에는 정치적 · 강제적 · 종교적 이동이 컸음 ⇒ 오늘날 경제적 이동의 비중이 큼

② 유형

- 강제적 이동 : 아프리카 흑인의 이동, 고려인의 중앙아시아 이동, 게토구역으로 유대인 이동 등
- 경제적 이동 : 주로 개발도상국에서 선진국으로 이동(화교의 동남아시아 이동 등)
- 정치적 이동 : 전쟁 · 내전 · 민족 탄압 등으로 인한 난민의 이동 등
- 종교적 이동 : 영국의 청교도들의 아메리카로 이동 등

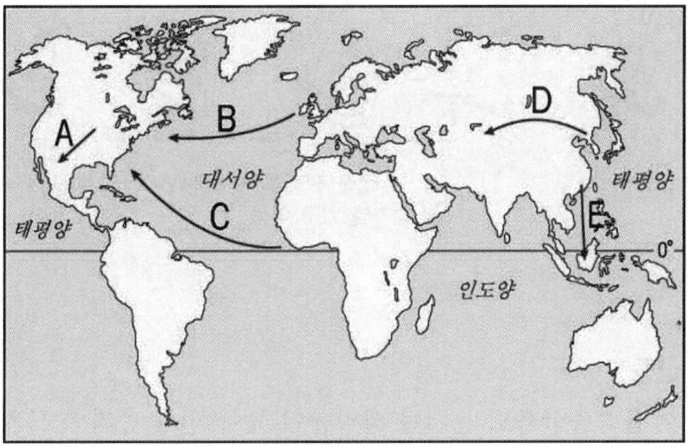

▲ 인구의 국제 이동

2) 국내 이동

① 개발도상국 : 인구가 촌락에서 도시로 이동(이촌향도 현상)

② 선진국 : 도시의 인구가 도시 근교 지역이나 촌락으로 이동(역도시화 현상)

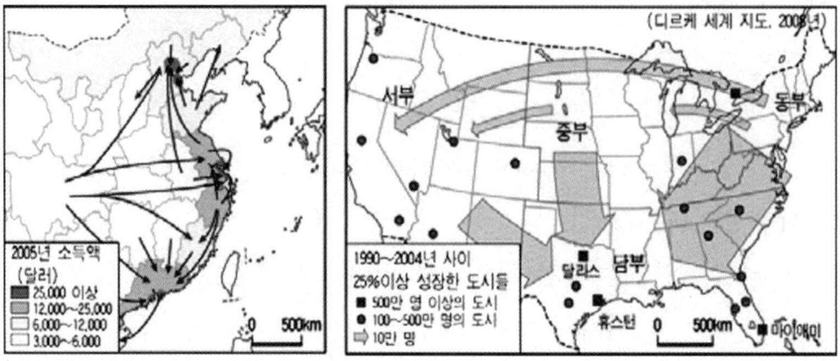

▲ 인구의 국내 이동

(3) 우리나라의 인구 이동

1) **일제 강점기** : 중국이나 연해주 지역으로 이동

2) **광복 후** : 국외로 나갔던 해외 동포의 귀국

3) **6 · 25 전쟁** : 북한 주민의 피난 등으로 남쪽으로 인구 이동

4) **1960년대 이후** : 산업화가 진행되어 이촌향도 현상이 발생 ⇒ 수도권, 대도시, 남동임해 공업지역으로 이동

5) **1990년대 이후** : 역도시화 현상으로 도시 근교나 촌락으로 이동

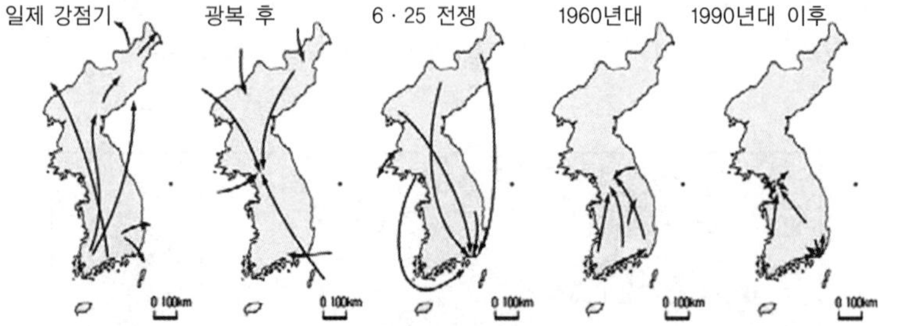

(인구 주택 총조사, 1995년/국립 지리원/한국지지 총론)

▲ 시기별 인구 이동

3 인구 문제

(1) 세계의 인구 급증

1) **산업 혁명 이전** : 출산율도 높지만 사망률이 높아 인구 증가 속도가 완만함

2) **산업 혁명 이후** : 생활수준 향상, 의학 발달로 사망률이 낮음 ⇒ 인구 급증

3) 지역별 인구 급증 시기

① 선진국 : 산업혁명 이후

② 개발 도상국 : 제2차 세계 대전 이후

(2) 지역별 인구 문제

1) 개발 도상국의 인구 문제

① 인구의 폭발적 증가 : 제2차 세계 대전 이후 인구 급증

② 성비 불균형 : 남아 선호 사상의 영향

③ 해결 방안 : 가족계획 사업 실시, 인구 부양력을 높이기 위한 경제 성장 등

2) 선진국의 인구 문제

① 저출산

- 원인 : 여성의 사회진출 증가, 가치관의 변화, 만혼 등 ⇒ 출산율 감소
- 문제점 : 인구의 감소 및 노동력 부족, 복지 예산 증가로 정부의 재정 부담 증가 등
- 해결책 : 출산 휴가 및 육아 휴직 지원, 보육 시설 확대 등 출산 장려 정책 실시

② 고령화

- 원인 : 경제 성장과 의학 발달로 인해 평균수명이 연장되면서 노인의 인구 증가
- 문제점 : 노년층의 증가로 복지 재정 적자, 노년층의 빈곤 등
- 해결 방안 : 노인 복지 시설 확충, 정년 연장, 사회보장제도 정비 및 확충 등

(3) 우리나라의 인구 문제

1) 대표 : 저출산, 고령화

2) 해결책

① 저출산 : 출산 휴가 및 육아 휴직 지원, 보육 시설 확대 등 출산 장려 정책 실시

② 고령화 : 노인 복지 시설 확충, 정년 연장, 사회보장제도 정비 및 확충 등

Exercises

01 세계의 인구 분포 특징에 대한 설명으로 옳지 <u>않은</u> 것은?

① 북반구 중위도에 밀집되어 있다.

② 산지 지역보다 평야 지역에 인구가 밀집되어 있다.

③ 인구는 전세계 지역에 균등하게 분포한다.

④ 온대 기후 지역에 많은 인구가 분포한다.

02 중위도 지역에 분포하며 계절의 변화가 뚜렷하고 인구가 밀집한 지역에 나타나는 기후 지역은?

① 열대 기후　　② 건조 기후

③ 온대 기후　　④ 냉대 기후

03 인구의 배출 요인이 <u>아닌</u> 것은?

① 빈곤　　② 풍부한 일자리

③ 전쟁　　④ 자연재해

04 빈칸 A에 해당하는 현상으로 옳은 것은?

> 선진국에서는 쾌적한 환경을 찾아 도시의 인구가 도시 주변 지역이나 촌락으로 이동하는 (　A　) 현상이 나타난다.

① 역도시화　　② 이촌향도

③ 아노미　　④ 문화지체

05 우리나라 인구 분포에 대한 설명으로 옳지 않은 것은?

① 산업화 이전에는 남서부 지역에 인구가 밀집하였다.
② 오늘날 농촌에서는 인구가 정체하거나 감소하고 있다.
③ 지형과 경지 분포가 인구 분포에 미치는 영향력이 커지고 있다.
④ 수도권과 남동임해 공업지역으로 인구가 집중되었다.

06 인구의 국제 이동에 대한 설명으로 옳은 것을 〈보기〉에서 고른 것은?

〈보기〉

ㄱ. 오늘날 정치적 이동이 대부분이다.
ㄴ. 오늘날 선진국에서 개발 도상국으로 인구가 많이 이동한다.
ㄷ. 오늘날 인구의 국제이동은 경제적 목적이 대부분이다.
ㄹ. 아프리카 흑인들을 강제로 이주시키기도 했다.

① ㄱ, ㄴ ② ㄱ, ㄷ ③ ㄴ, ㄷ ④ ㄷ, ㄹ

07 밑줄 친 (가)의 사례로 적절하지 않은 것은?

개인의 공간적 이동은 이동 기간에 따라 (가) 일시적 이동과 반영구적 또는 영구적 이동으로 구분된다.

① 해외로 이민 ② 직장으로 통근
③ 상품 구매를 위한 이동 ④ 체험 활동을 위한 국내 이동

08 **오늘날 우리나라가 안고 있는 인구 문제에 해당하는 것은?**

① 농촌 인구 증가

② 평균 수명 감소

③ 저출산

④ 영아 사망률 증가

09 **다음 그래프를 보고 알 수 있는 적절한 사회현상의 용어는 무엇인가?**

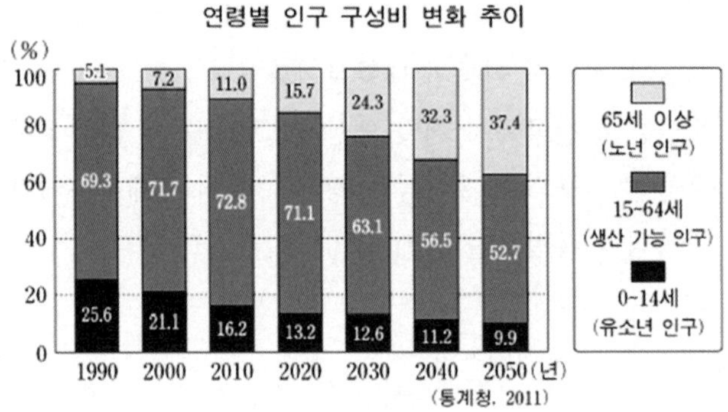

① 성비 불균형　　② 고령화

③ 도시화　　④ 정보화

정답 : 1. ③　2. ③　3. ②　4. ①　5. ③　6. ④　7. ①　8. ③　9. ②

08 사람이 만든 삶터, 도시

1 도시의 위치와 특징

(1) 도시의 의미와 특징

1) **도시의 의미** : 많은 사람들이 모여살고, 주로 2차 · 3차 산업의 비중이 높으며 일정한 지역에 정치 · 경제 · 문화 등의 중심지 역할을 하는 곳

2) **도시의 특징**

① 높은 인구 밀도

② 2차 · 3차 산업 중심 ⇒ 주민들의 다양한 직업 및 생활

③ 일정 지역의 정치 · 경제 · 문화의 중심지

(2) 세계의 주요 도시

1) **국제 경제 · 금융 도시** : 뉴욕, 런던, 홍콩, 상하이 등

2) **문화 도시** : 로마, 밀라노, 파리 등

3) **종교 · 역사 도시** : 예루살렘, 이스탄불, 메카, 아테네 등

2 도시 내부의 경관

(1) 도시 내구 구조의 분화

1) **분화 원인**

① 접근성 : 어느 한 장소에서 다른 장소까지 도달하기 쉬운 정도

② 지가 : 토지의 가격

③ 지대 : 건물이나 토지를 빌린 대가로 지급하는 비용

2) **분화**

① 이심 현상

- 의미 : 높은 지가를 지불할 능력이 떨어져 도심에서 빠져 나가는 현상
- 대표 : 학교, 주택, 공장

② 집심 현상

- 의미 : 높은 지가를 지불할 능력이 있고 많은 수익을 얻을 기대로 도심으로 집중되는 현상
- 대표 : 관공서, 기업의 본사, 백화점(고급상가)

(2) 내부 경관

구분	특징
도심	- 중심 업무 지구(CBD) 형성 ⇒ 중추 관리 기능 - 주요 관공서, 본사, 본점, 백화점 등이 집중 - 접근성 · 지대 · 지가 최고, 건물의 고층화, 교통 혼잡, 열섬현상 발생 - 인구 공동화 현상
부도심	- 도심의 기능 분담 - 교통의 요지에 형성
주변 지역 (외곽 지역)	주택, 학교, 공장 입지
개발 제한 구역 (그린벨트)	- 도시의 무질서한 팽창 방지 - 도시의 녹지 공간 확보를 위해 설정
위성도시	- 도시의 기능 분담 - 대표 : 안산, 의정부, 일산, 분당 등

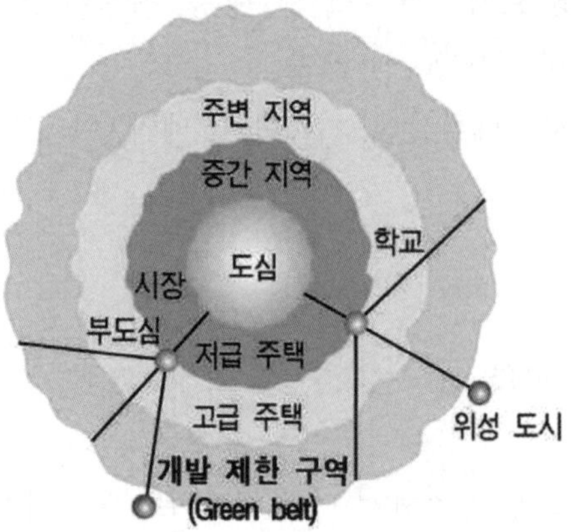

3 도시화와 도시 문제

(1) 도시화

1) **도시화의 의미** : 도시의 수가 증가하거나 도시에 거주하는 인구 비율이 높고, 도시적 생활양식이 확대되는 현상

2) **도시화의 특징**

① 산업화와 함께 진행

② 도시화가 진행되는 지역은 인구가 빠르게 증가

③ 지역 주민의 경제활동은 공업과 서비스업 위주로 변화

3) 도시화 과정

초기 단계	- 대부분의 인구가 농업에 종사 - 도시화율이 낮다.
가속화 단계	- 산업화로 도시에 2차~3차 산업이 발달 - 인구의 도시 집중이 이루어지는 이촌향도 현상 발생 - 도시화율이 급격히 상승하면서 각종 도시 문제가 발생함
종착 단계	- 인구의 대부분이 도시에 거주 - 역도시화 현상(U턴 현상, J턴 현상)이 나타남

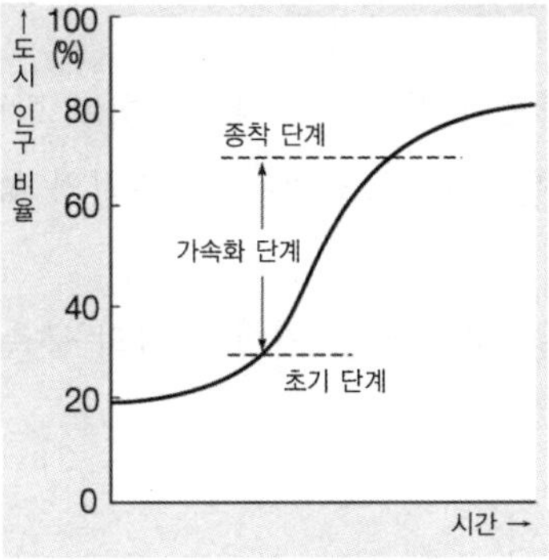

▲ 도시화 단계

4) 선진국과 개발도상국의 도시화

① 선진국

- 18세기 산업 혁명 이후 점진적으로 진행되었음
- 약 200년에 걸쳐 도시화가 진행되어 20세기 중반 이후에 종착 단계가 됨

② 개발도상국

- 20세기 중반 이후에 급속한 산업화와 함께 진행됨
- 기반 시설이 제대로 형성되지 않고 도시화가 진행되면서 각종 도시 문제가 발생함

(2) 도시 문제

1) **선진국** : 기반 시설(도로, 상하수도, 주택 등)은 잘 되어 있으나 노후 주택 문제와 교통 혼잡, 높은 집값과 임대료 등의 문제가 발생

2) **개발도상국** : 기반 시설(도로, 상하수도, 주택 등)이 많이 부족함, 높은 실업과 환경오염, 범죄 등의 문제 발생

3) 도시 문제의 해결 방안

① 원인 : 도시로 인구 및 기능의 집중

② 대표적 문제 및 해결 방안

- 교통 문제 : 도심 진입 차량에 혼잡통행료 부과, 대중교통 확충, 도로 건설 등
- 주택 문제 : 낡고 열악한 지역의 도시 재개발, 신도시 건설, 정부의 공공 주택 건설 등
- 환경 문제 : 오 · 폐수 정화 시설 확충, 쓰레기 분리 배출, 자원의 재활용 등

4 살기 좋은 도시

(1) 의미 : 절대적 기준은 없으나 정치 · 경제 · 문화가 발달하고, 각종 편의 시설이 잘 구축되었고, 안전한 생활과 아름다운 자연 경관 등 주민의 삶의 질이 높은 도시

(2) 조건 : 경제적 풍요, 각종 서비스 및 기반 시설의 구축, 쾌적한 환경, 낮은 범죄율 등

(3) 대표적 도시

① 세계적 : 오스트레일리아 멜버른, 오스트리아 빈, 캐나다 벤쿠버, 스위스 취리히 등

② 우리나라 : 경기도 과천, 전라남도 순천 등

Exercises

01 **다음 내용에서 설명하는 것은?**

· 세계 경제, 문화, 정치의 중심지로 뉴욕, 런던, 파리, 도쿄 등이 대표적 예이다.
· 세계적 영향력을 가진 금융 기관, 다국적 기업의 본사, 각종 국제기구의 활동이 활발히 이루어지는 도시를 말한다.

① 거대 도시 ② 세계 도시
③ 생태 도시 ④ 공업 도시

02 **대도시에서 다음과 같은 특징이 나타나는 지역은?**

· 열섬 현상 · 인구 공동화 현상
· 교통 체증 · 중심 업무 지구(CBD)

① 도심 지역 ② 부도심 지역
③ 주변 지역 ④ 위성도시 지역

03 **다음 〈보기〉의 사례로 적절한 것은?**

〈보기〉
중심 업무 기능이나 상업 기능이 도시 중심부로 집중되는 현상이다.

① 학교 ② 주택
③ 공장 ④ 백화점

04 **다음은 도시 내부 구조를 나타낸 것이다. A, B 지역에 대한 설명으로 옳지 않은 것은?**

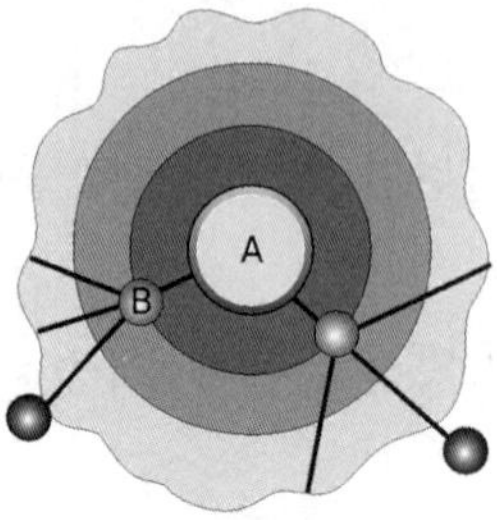

① A 지역은 B 지역의 기능을 분담한다.
② B 지역은 교통이 편리한 곳에 입지한다.
③ A 지역에는 서울의 명동, 종로 등이 대표적 사례이다.
④ A 지역에는 중심 업무 지구가 형성된다.

05 **다음에 해당하는 지역은?**

· 도시의 무질서한 팽창을 막기 위해 설정함
· 농업은 가능하나 주택, 공장 건설 등은 제약을 받음
· 녹지대 보존

① 도심 ② 부도심
③ 위성도시 ④ 개발 제한 구역

06 **밑줄 친 (가)에 들어갈 개념으로 적절한 것은?**

(가) ________ 란 도시의 수가 증가하거나 도시 인구 비율이 높아지는 현상을 말한다.

① 교외화 ② 지역화
③ 도시화 ④ 정보화

07

A단계에 나타나는 일반적인 현상에 대한 설명으로 옳은 것은?

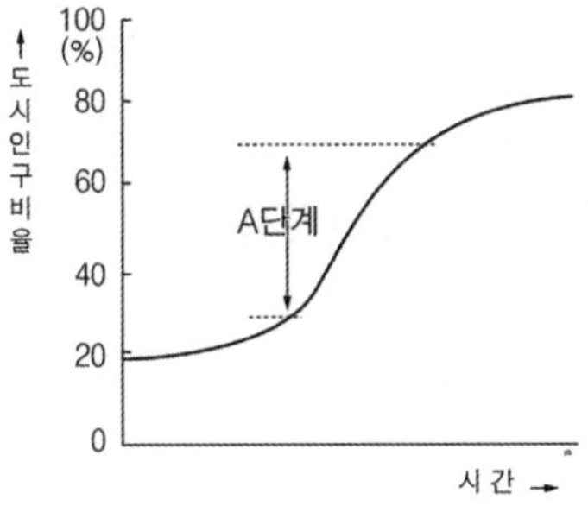

① 이촌 향도 현상
② 지역 간 발전 격차 완화
③ 도시 인구의 역도시화 현상
④ 농업 중심의 사회

08

도시의 환경 문제를 해결하기 위한 방안으로 적절하지 <u>않은</u> 것은?

① 쓰레기 발생을 최소화한다.
② 공해 처리 시설을 설치한다.
③ 폐수 정화 시설을 설치한다.
④ 화학 제품의 사용을 늘린다.

09

도시의 주택 문제를 해결하기 위한 방안으로 옳은 것은?

ㄱ. 공공 주택을 건설한다.
ㄴ. 낡은 지역을 재개발한다.
ㄷ. 혼잡 통행료를 부과한다.
ㄹ. 개발 제한 구역을 모두 해제하여 주택을 건설한다.

① ㄱ, ㄴ　　② ㄱ, ㄹ
③ ㄷ, ㄹ　　④ ㄱ, ㄴ, ㄷ

10 **살기 좋은 도시에 대한 옳은 설명을 〈보기〉에서 모두 고른 것은?**

〈보기〉

ㄱ. 자연환경만 쾌적한 곳
ㄴ. 범죄율이 높아 사회적 위험성이 높은 곳
ㄷ. 교육, 의료, 보건, 문화 등의 시설이 잘 갖춰진 곳
ㄹ. 주민들의 삶의 질이 높은 곳

① ㄱ, ㄴ ② ㄱ, ㄷ
③ ㄴ, ㄹ ④ ㄷ, ㄹ

11 **선진국의 도시 문제에 대한 <u>틀린</u> 설명을 〈보기〉에서 모두 고른 것은?**

〈보기〉

ㄱ. 오랫동안 발전해 왔던 도심 지역에 불량 주거 지역 형성
ㄴ. 기반 시설이 갖추어지지 않아 상하수도 시설 등의 부족
ㄷ. 대도시의 인구 감소, 시설 노후화로 인한 도시 활력의 약화

① ㄱ ② ㄴ ③ ㄷ ④ ㄱ, ㄷ

정답 : 1. ② 2. ① 3. ④ 4. ① 5. ④ 6. ③ 7. ① 8. ④ 9. ① 10. ④ 11. ②

09 글로벌 경제활동과 지역변화

1 농업 생산의 기업화와 세계화

(1) 농업 생산의 변화

1) **과거** : 소규모로 재배하거나 가축 등을 기르며 농가에서 직접 소비하는 자급적 농업

2) **현재** : 시장에서 판매를 목적으로 재배하거나 가축 등을 기르는 상업적 농업

(2) 농업 생산의 기업화(세계화)

1) **의미** : 자본을 바탕으로 기계와 화학 비료를 사용하고 대량으로 생산하는 방식의 농업

2) **특징** : 대량생산으로 가격 경쟁력을 확보하였으며, 생산된 농산물을 팔기 위해 넓은 시장이 필요하기 때문에 세계 곳곳에 진출하여 재배 및 유통을 함 ⇒ 농업의 세계화

3) **기업적 농업 지역** : 미국, 오스트레일리아, 아르헨티나, 우크라이나 등

(3) 농업 생산의 기업화와 세계화로 인한 농업의 변화

1) **농업 생산 구조의 변화**

① 대규모 상업적 농업 : 대량생산으로 저렴한 가격에 판매 ⇒ 소규모의 생산 국가는 큰 피해

② 농업 생산의 다각화 : 경쟁력을 높이기 위해 원예작물 혹은 기호작물 등을 재배

2) **농업 생산 구조의 변화 사례**

① 동남아시아 지역 : 플랜테이션 농업으로 전환 예 베트남 "커피", 필리핀 "바나나" 등

② 남아메리카 지역 : 열대림 지역을 목초지로 바꿔 가축 및 사료 작물을 재배함

(4) 공정 무역

1) **의미** : 개발도상국 생산자에게 정당한 가격을 지불하여 생산자에게 무역의 혜택이 돌아가도록 하는 윤리적 소비 운동

2) **주요 제품** : 커피, 카카오, 사탕수수 등

3) **효과** : 아동과 부녀자의 노동 착취 방지, 우리의 소비 활동이 저개발 국가 농민의 삶을 도움, 유통비 절감 등

(5) 농산물 소비 특성의 변화

1) 농업의 세계화에 따른 변화

① 긍정적 기능 : 세계 각지의 다양한 농산물을 저렴하게 구입

② 부정적 기능 : 이동 과정에서 많은 농약과 방부제 사용, 자국의 농산물 산업 붕괴

2) 육류 소비량의 증가

① 생활수준 향상으로 소비량 증가 및 채소와 과일 등의 소비량 또한 증가

② 콩, 옥수수 등과 같은 가축의 사료 작물 증가

3) 쌀 소비량의 감소 : 식단의 서구화로 쌀 소비량 감소

2 다국적 기업과 생산 공간 변화

(1) 다국적 기업

1) 의미 : 해외 여러 나라에 지사, 생산 공장 등을 운영하면서 전 세계를 대상으로 생산과 판매 활동을 하는 기업

예 코카콜라, GM, 삼성전자, LG전자 등

2) 발달 과정 : 한 국가에서 단일 공장 ⇒ 국내 확장 단계 ⇒ 해외 진출 단계(해외 영업과 해외 공장 설치) ⇒ 다국적 기업

(2) 다국적 기업의 생산 공간 변화

1) 다국적 기업의 공간적 분업

① 원인 : 기업의 목적인 이윤 추구를 위해 기업의 관리, 연구, 생산 기능이 공간적으로 분리되는 현상

② 다국적 기업의 공간적 분업

본사	본국, 선진국	의사 결정에 필요한 다양한 정보와 자본의 확보에 유리
연구소	본국, 선진국	연구시설의 구축과 전문 인력이 풍부한 곳
생산 공장	개발도상국	· 임금이 저렴한 지역, 원료가 풍부한 지역 · 무역의 장벽을 극복하기 위해 일부 선진국에 입지함 · 수요가 많은 국가로 이전함

2) 생산 공장의 해외 이전으로 인한 지역 변화

① 생산 시설이 들어선 지역 : 일자리 확대, 산업 단지 조성 ⇒ 경제 활성화, 도시 발달

② 생산 시설이 빠져 나간 지역 : 실업률 증가, 경제 침체 ⇒ 산업 공동화 현상 발생

3 세계화에 따른 서비스업의 변화

(1) 서비스업의 변화

1) **의미** : 서비스업 분야에서 국가 간의 경계가 약해지고 상호 의존성이 높아지는 현상

2) **서비스업의 분업** : 교통과 통신이 발달하고 세계화가 진행되면서 서비스의 생산, 판매, 사후관리 등 단계를 나누어 서비스를 제공

(2) 서비스업의 세계화

1) **전자 상거래와 세계화**

① 배경 : 정보 통신의 발달로 유통 분야의 세계화가 진행됨

② 전자 상거래의 특징 : 시 · 공간의 제약을 받지 않음 ⇒ 인터넷으로 구매 ⇒ 소비 활동이 전 세계로 확대됨(해외 직접구매)

③ 전자 상거래와 유통의 세계화에 따른 변화

- 택배업 등의 유통 산업 성장
- 소비자가 직접 찾아가 구매하는 상점은 쇠퇴

2) **관광의 세계화**

① 배경 : 교통의 발달, 정보 통신 기술 발달 ⇒ 관광 산업 발달

② 관광 산업의 효과 : 지역 주민의 일자리 확대 및 소득 증가, 지역 홍보 및 이미지 개선 등

[예] 안위크성 "해리포터 촬영지", 강릉 주문진 "도깨비 촬영지" 등

Exercises

01 **다음 〈보기〉에 해당하는 농업은?**

〈보기〉

· 시장에 판매할 목적으로 작물을 재배하거나 가축을 기르는 농업
· 산업화 · 도시화의 진행으로 발달

① 자급적 농업
② 세계적 농업
③ 플랜테이션 농업
④ 상업적 농업

02 **다음과 같은 현상이 나타나게 된 이유로 옳은 것은?**

기업적으로 밀 재배를 하는 지역에서 최근 옥수수나 콩을 재배하는 등 토지 이용의 변화가 나타나고 있다.

① 지구 온난화 때문에
② 최소한의 환경 파괴
③ 수익성 때문에
④ 병충해에 강해서

03 **오늘날 농산물 소비 특성의 변화로 옳지 않은 것은?**

① 육류의 소비량은 꾸준히 증가하고 있다.
② 패스트푸드 등의 음식문화로 쌀의 소비 비중이 늘어나고 있다.
③ 차, 커피, 카카오 등 기호 식품의 소비량은 증가하고 있다.
④ 생활 수준의 향상으로 채소와 과일의 소비량은 증가하고 있다.

04 다국적 기업에 대한 설명으로 옳지 <u>않은</u> 것은?

① 세계 여러 국가를 대상으로 생산과 판매 활동을 하는 기업이다.

② 생산공장은 주로 개발도상국에 있다.

③ 세계화로 더욱 발달하게 되었다.

④ 최근에는 공산품에만 집중되어 있다.

05 ㉠, ㉡에 들어갈 내용을 옳게 연결한 것은?

> 다국적 기업은 주로 의사 결정에 필요한 다양한 정보와 자본을 확보하는 데 유리한 지역에 (㉠)을/를 두며, 기술을 갖춘 고급 인력이 풍부하고 우수한 교육 시설이 있는 곳에 (㉡)을/를 세운다.

	㉠	㉡		㉠	㉡
①	연구소	생산 공장	②	본사	연구소
③	연구소	본사	④	생산 공장	본사

06 다국적 기업의 생산 공장이 해외로 이전할 경우 예상 모습은?

> ㄱ. 경제가 침체된다.
> ㄴ. 새로운 일자리가 창출된다.
> ㄷ. 산업 공동화 현상이 발생한다.
> ㄹ. 실업률에는 변화가 없다.

① ㄱ, ㄷ

② ㄴ, ㄹ

③ ㄷ, ㄹ

④ ㄴ, ㄷ

07 **관광 산업의 발달로 옳은 것은?**

ㄱ. 지역 주민의 일자리 수 증가와는 관련이 없다.
ㄴ. 지역의 3차 산업 비중이 증가한다.
ㄷ. 교통과 통신의 발달과는 관련이 없다.
ㄹ. 지역의 홍보 효과를 가져온다.

① ㄱ, ㄷ
② ㄴ, ㄹ
③ ㄷ, ㄹ
④ ㄴ, ㄷ

08 **전자 상거래의 특징에 대해 옳지 <u>않은</u> 것은?**

ㄱ. 인터넷 통신망을 이용하여 물건을 사고파는 방식이다.
ㄴ. 전자 상거래의 발달은 유통 분야의 쇠퇴를 가져온다.
ㄷ. 전통적 방식의 상거래와 달리 시간과 공간의 제약이 많다.
ㄹ. 전통적 방식의 상거래에 비해 소비 활동의 범위가 확대되었다.

① ㄱ, ㄴ
② ㄱ, ㄹ
③ ㄴ, ㄷ
④ ㄴ, ㄹ

정답 : 1. ④ 2. ③ 3. ② 4. ④ 5. ② 6. ① 7. ② 8. ③

10 환경 문제와 지속가능한 환경

1 전 지구적 차원의 기후 변화

(1) 기후 변화

1) **의미** : 기후의 상태가 자연적 원인과 인위적 원인에 의해 점차 변화하는 것

2) **요인**

① 자연적 요인 : 화산의 분화, 태양 활동의 변화 등

② 인위적 요인 : 석유, 석탄 등의 화석연료 사용 증가 ⇒ 온실 가스 발생 ⇒ 온실 효과

3) **대표적 기후 변화** : 지구 온난화

(2) 기후 변화 지역의 변화

1) 빙하와 만년설이 녹음 ⇒ 해수면 상승 ⇒ 일부 해안지역 침수

2) 지구 곳곳에 폭설, 가뭄, 홍수, 태풍 등 자연재해가 잦아지고 피해 규모 또한 커짐

3) **생태계의 변화**

- 농작물 재배환경 변화, 한류성 어족 감소 ⇒ 생산량 감소
- 적응하지 못한 생명체는 죽을 수 있으며, 동 · 식물의 서식지 변화 발생
- 전염병 매개체의 확산

(3) 기후 변화를 해결하기 위한 노력

1) **지구 온난화의 대처 방안** : 전 지구적 차원에서 이산화탄소 배출량 감축 등이 필요

2) **기후 변화 해결 노력**

① 전 지구적 차원

- 기후 변화 협약 : 이산화탄소의 배출량 규제
- 교토 의정서 : 온실가스의 감축 및 탄소배출권 거래제 도입
- 파리 협정 : 전 세계의 모든 국가가 책임을 분담하여 온실가스 배출량 감축 목표치 설정

② 국가적 차원 : 환경오염 최소화 정책 추진, 쓰레기 종량제 실시, 환경 마크 지정 등

③ 개인적 차원 : 쓰레기 분리 배출, 대중교통 이용, 에너지 효율이 높은 제품 사용 등

2 환경 문제 유발 산업의 국제적 이동

(1) 환경 문제 유발 산업

1) **의미** : 매연, 폐수, 수은, 카드뮴 등의 유해 물질을 배출하여 심각한 환경 문제를 일으키는 산업

2) **사례** : 방글라데시 치타공 해안의 폐선박, 케냐 나이바사 호수 주변의 장미 농가 등

3) **국제적 이동 입장**

① 선진국 : 환경에 대한 규제의 강화 및 비용 증가 ⇒ 규제가 덜하고 저임금인 개발도상국으로 산업을 이전

② 개발도상국 : 환경보다는 경제 발전을 중시 ⇒ 환경 문제 유발 산업을 유치함

(2) 국제적 이동에 따른 문제 : 개발도상국가에서는 환경오염과 생태계 파괴 등이 심각함

3 생활 속의 환경 이슈

(1) 환경 이슈

1) **의미** : 환경 문제 중에서 원인이나 해결 방안을 서로 다르게 생각하여 벌이는 논쟁

2) 종류

① 미세먼지

- 의미 : 우리 눈에 보이지 않을 정도로 가늘고 작은 먼지 입자
- 원인 : 자연적 요인(흙먼지, 꽃가루 등) + 인위적 요인(매연, 소각장 연기 등)
- 피해 : 각종 호흡기 질환, 첨단 제품의 불량률 증가 등

② 유전자 변형(GMO) 농산물

- 의미 : 새로운 성질의 유전자를 지니도록 유전자들을 결합하여 개발된 농산물
  예 콩, 옥수수, 토마토, 포도 등
- 논란 : 수확량 증가로 식량 부족문제를 해결할 수 있으나, 인간에 대한 안전성은 논란

③ 로컬 푸드 : 지역에서 생산된 농산물을 지역에서 소비하자는 운동

(2) 환경 문제 해결 방안 : 쓰레기 분리 배출, 대중교통 이용, 에너지 절약 등

Exercises

01 **다음에서 나타내고자 하는 환경 문제로 가장 적절한 것은?**

① 사막화 ② 산성비

③ 미세먼지 ④ 지구 온난화

02 **다음 〈보기〉에서 설명하는 국제 협약은?**

〈보기〉

· 2015년 프랑스 파리에서 열린 제21차 국제 연합 기후 변화 협약 당사국 총회에서는 195개 협약 당사국이 모여 채택하였다.
· 선진국과 개발도상국 구분 없이 전세계 모든 국가가 온실가스 배출량 감축 목표치 설정

① 람사르 협약 ② 몬트리올 의정서

③ 파리 협정 ④ 교토 의정서

03 **지구 온난화에 따른 기상 이변에 대한 옳은 설명을 〈보기〉에서 고르면?**

〈보기〉

ㄱ. 태풍, 홍수, 폭우 등의 기상 이변이 빈번해짐
ㄴ. 여름철 고온 현상 증가
ㄷ. 바닷물의 염분 농도가 높아짐
ㄹ. 고산 식물의 분포 범위 확대

① ㄱ, ㄴ ② ㄱ, ㄷ

③ ㄴ, ㄷ ④ ㄷ, ㄹ

04 **다음 〈보기〉를 읽고 알맞은 개념을 고르면?**

〈보기〉

· 첨단 전자 제품이 새롭게 등장할 때마다 그전에 사용하던 제품을 교체하면서 자연스럽게 버려지는 전자 제품
· 수은, 카드뮴 등 유해 물질들이 많이 포함되어 있음
· 소각할 경우 유해 물질 발생, 매립할 경우 심각한 토양오염 발생

① 황사　　② 전자 쓰레기
③ 미세먼지　　④ 유전자 변형 농산물

05 **다음 빈칸 (A)에 들어갈 알맞은 것은?**

국제 사회는 1989년 스위스 바젤에서 유해 폐기물의 국가 간 이동과 처리에 관한 협약을 체결하였다. (A)(이)라고 불리는 이 협약은 미국, 유럽 국가 등 선진국이 주도하였던 기존의 협약과는 달리 아프리카 국가 등 개발도상국이 주도적인 역할을 하였다.

① 바젤 협약　　② 몬트리올 의정서
③ 람사르 협약　　④ 파리 협정

06 **다음 〈보기〉에서 설명하는 산업으로 옳은 것은?**

〈보기〉

매연, 폐수, 소음 뿐만 아니라 석면, 카드뮴, 수은 등의 유해 물질을 배출하여 심각한 환경 문제를 일으키는 산업을 말한다.

① 첨단산업　　② 신재생에너지 산업
③ 녹색산업　　④ 공해유발 산업

07 다음과 같은 생활 수칙의 기준이 되는 환경 이슈로 가장 적절한 것은?

· 외출 시 마스크 착용	· 장시간 실외 활동 자제
· 외출 후 손 깨끗이 씻기	

① 미세먼지 ② 온실가스
③ 지구 온난화 ④ 전자 쓰레기

08 다음 빈칸 (A)에 들어갈 알맞은 말은?

> 최근 인공조명으로 밤에도 대낮처럼 밝아 편안한 휴식과 수면을 방해하는 (A)(이)가 심각하다. 이는 사람들의 건강뿐만 아니라 생태계에도 부정적인 영향을 미치고 있다.

① 빛 공해 ② 도시화
③ 소음 ④ 열섬 현상

09 일상생활에서 실천할 수 있는 환경 보전 활동으로 알맞은 것은?

ㄱ. 매립이나 소각	ㄴ. 쓰레기의 분리 배출
ㄷ. 일회용품 사용	ㄹ. 에너지 효율이 높은 제품 이용

① ㄱ, ㄴ ② ㄴ, ㄷ
③ ㄱ, ㄹ ④ ㄴ, ㄹ

정답 : 1. ④ 2. ③ 3. ① 4. ② 5. ① 6. ④ 7. ① 8. ① 9. ④

11 세계 속에 우리나라

1 우리나라의 영역과 독도

(1) 영역

1) **의미** : 한 국가의 주권이 미치는 범위

2) **구성**

① 영토 : 한 국가에 속한 육지의 범위

② 영공 : 영토와 영해의 수직 상공, 보통 대기권 이내의 범위

③ 영해 : 영토 주변의 바다, 최저 조위선에서 12해리까지의 해역

④ 배타적 경제 수역(EEZ)

- 의미 : 영해를 설정한 기선으로부터 200해리까지의 해역 중 영해를 제외한 수역
- 특징 : 연안국에 독점적 권리 보장, 다른 국가의 선박과 항공기의 자유로운 통행은 인정

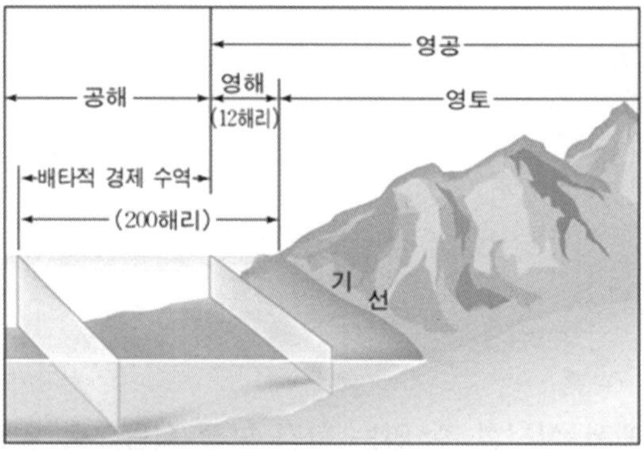

(2) 우리나라의 영역

1) **영토** : 한반도와 그 부속 도서(간척 사업으로 영토의 면적이 조금씩 확대됨)

2) **영공** : 우리나라 영토와 영해의 수직 상공

3) **영해**

① 동해안, 울릉도, 독도, 제주도 : 통상기선 12해리

② 서(황)해안, 남해안 : 직선기선 12해리

③ 대한 해협 : 직선기선 3해리

(3) 독도

1) 위치

① 위치 특성 : 우리나라의 가장 동쪽 끝에 위치

② 행정 구역 : 경상북도 울릉군 울릉읍 ┌ 서도 : 독도 안용복길
└ 동도 : 독도 이사부길

2) 자연 환경

① 구성 : 동도와 서도의 2개의 큰 섬으로 구성

② 화산 지형 : 해저에서 분출한 용암으로 형성된 화산섬

③ 기후 : 난류의 영향을 받는 해양성 기후

3) 가치

① 영역적 가치

- 배타적 경제 수역 설정과 관련된 중요한 기점
- 주변국의 군사적 동향을 살펴볼 수 있는 군사적 요충지
- 동해에서 조업하는 어부들의 임시 대피소

② 경제적 가치

- 난류와 한류가 만나는 조경수역이 형성되어 수산자원이 풍부
- 해저에 메탄 하이드레이트 매장, 인근 해역에 해양 심층수 등의 자원이 풍부

③ 환경 · 생태적 가치

- 섬 전체가 천연 기념물로 지정 : 다양한 동 · 식물이 서식
- 세계적인 지질 유적지 : 다양한 화산 지형과 지질 경관 보존

2 우리나라 여러 지역의 경쟁력

(1) 세계화 시대의 지역화

1) 지역화의 의미 : 세계화가 진행되면서 지역간 교류가 증가하고 각각의 지역이 정치 · 경제 · 사회 · 문화 등의 새로운 주체로 등장하는 현상

2) 지역화 전략

① 장소 마케팅

- 의미 : 특정 장소의 자연 · 역사 · 문화적 환경 등을 상품으로 만들고 이를 판매하려는 활동
- 사례 : 뉴욕 “자유의 여신상”, 빌바오 “구겐하임 미술관”, 보령 “머드 축제” 등

② 지역 브랜드

- 의미 : 지역의 상품과 서비스가 소비자에게 특별한 브랜드로 기억되게 하는 것
- 사례 : 미국 뉴욕 “I♡NY”, 강원도 평창 “HAPPY 700” 등

▲ 미국 뉴욕의 지역 브랜드

▲ 강원도 평창군의 지역 브랜드

③ 지리적 표시제

- 의미 : 특정 상품의 품질, 특성 등 생산지의 지리적 특성이 비롯되고 그 우수성이 인정될 때 국가가 그 지역 생산품임을 증명하고 이름을 상표권으로 인정하는 제도
- 특징 : 다른 곳에서 함부로 상표권을 사용하지 못하도록 법적 권리를 인정받음
- 사례 : 횡성 한우, 보성 녹차, 의성 마늘 등

▲ 우리나라의 지리적 표시 상품

(2) 효과적인 지역화 전략

1) **지역의 정체성인 담긴 브랜드 개발** : 평창 “HAPPY 700”, 함평 “나르다” 등

2) **지역의 긍정적 이미지 창출** : 부산 국제영화제, 전주 대사습놀이 등

3) **친환경적인 지역 개발** : 순천 “순천만”, 함평 “나비 축제” 등 친환경 이미지 구축

3 국토 통일과 통일 한국의 미래

(1) 우리나라 위치의 특징과 통일의 필요성

1) 우리나라 위치의 특징

① 반도국 : 대륙과 해양으로 진출이 유리

② 지리적 요충지 : 유라시아 대륙과 태평양을 연결할 수 있는 요충지

③ 동아시아의 중심지 : 동아시아의 주요 도시를 3시간대에 연결 ⇒ 인적 · 물적 교류에 유리

2) 통일의 필요성

① 민족의 동질성 회복 : 오랜 분단으로 다양한 분야에서 이질감 및 이산가족 · 실향민의 아픔 등을 해소

② 국토의 효율적 이용 : 남북분단으로 국토의 불균형적 개발 해소
③ 국방비 감소 : 경제개발과 복지 분야 등으로 투입되어 국가의 효율적인 투자
④ 국가 이미지 향상 : 전쟁 위험 국가라는 이미지를 벗어 국가의 경제성장 및 이미지 상승

(2) 통일 한국의 미래

1) 국토 공간의 변화

① 대륙과 해양을 연결하는 물류의 중심지로 성장
② 넓은 시각으로 국토를 효율적으로 이용

2) 국민의 삶의 변화

① 전쟁 위협으로부터 벗어날 수 있음
② 국민들의 활동 범위가 확대됨
③ 북한 지역의 개발 등으로 새로운 일자리 등이 많아질 수 있음

Exercises

01 우리나라의 영역에 대한 설명 중 잘못된 것은?

① 영공은 영해와 영토의 상공을 말한다.
② 영토는 한반도 및 그 부속 도서를 포함한다.
③ 동해안에서는 해안선에서 12해리까지를 영해로 한다.
④ 황 · 남해안보다 동해안에서 영해의 범위가 더 넓다.

02 다음 그림은 우리나라 영역의 범위를 나타낸 모식도이다. 각 부분의 명칭을 옳게 연결한 것은?

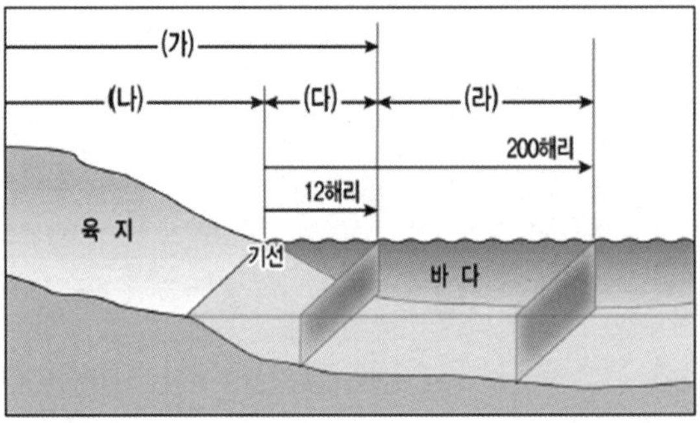

① (가) : 영공　　② (나) : 영해
③ (다) : 배타적 경제수역　　④ (라) : 영토

03 우리나라의 영해를 표시한 아래 지도에 대한 설명으로 옳은 것은?

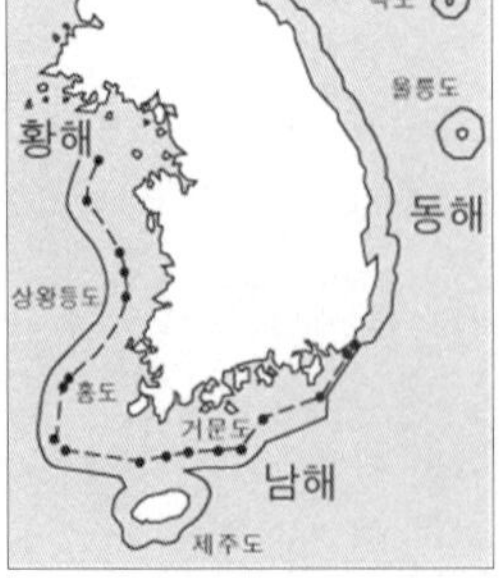

① 동해는 직선 기선 12해리이다.
② 대한 해협은 3해리를 적용한다.
③ 황 · 남해는 통상 기선 12해리이다.
④ 배타적 경제 수역의 범위와 일치한다.

04 독도의 가치에 대한 설명으로 옳은 것은?

ㄱ. 강원도에 소속되어 있다.
ㄴ. 화산섬이며, 인간의 거주환경이 불리하다.
ㄷ. 우리나라의 영토 중 가장 동쪽에 위치한다.
ㄹ. 대륙의 영향을 받는 대륙성 기후이다.

① ㄱ, ㄴ　② ㄱ, ㄷ
③ ㄴ, ㄷ　④ ㄷ, ㄹ

05 다음 내용에 해당하는 위치 표현 방법은?

· 어떤 곳을 상징적으로 대표하는 건물이나 조형물 등
· 서울의 숭례문, 파리의 에펠탑, 베이징의 자금성 등

① 경도　② 위도
③ 랜드마크　④ 행정구역

06 다음 설명에 해당하는 지역화 전략으로 알맞은 것을 고르면?

· 특정 장소의 자연환경, 역사적, 문화적 특성을 드러내어 장소를 매력적인 상품으로 만들고 이를 판매하려는 활동
· 사례 : 함평 '나비 축제', 보령 '머드 축제' 등이 있다.

① 장소 마케팅　② 지역 브랜드
③ 공간 정보 기술　④ 지리적 표시제

07 **다음 빈칸 (A)에 들어갈 말로 적절한 것은?**

> 지역의 가치를 높이기 위하여 개발한 지역을 상징하는 로고나 캐릭터, 표어 등을 (A)(이)라고 한다.

① 지리적 표시제　② 행정구역
③ 장소 마케팅　④ 지역 브랜드

08 **남북통일이 가져올 변화로 알맞은 것을 〈보기〉에서 고르면?**

〈보기〉

ㄱ. 세계 평화에 이바지　ㄴ. 국토 이용의 효율적 이용
ㄷ. 군사비 부담 증가　ㄹ. 민족의 이질성 증대

① ㄱ, ㄴ　② ㄱ, ㄷ
③ ㄴ, ㄷ　④ ㄷ, ㄹ

정답 : 1. ④　2. ①　3. ②　4. ③　5. ③　6. ①　7. ④　8. ①

12 더불어 사는 세계

1 지구상의 지리적 문제

(1) 지리적 문제

1) **의미** : 사람들이 살아가는 곳에서 발생하는 문제

2) **원인** : 경제적 격차, 민족 · 종교 간의 갈등, 기후변화 등 다양함

3) **종류** : 기아 문제, 영토 · 영해 문제, 생물 다양성 감소 등

(2) 다양한 지리적 문제

1) 기아 문제

① 의미 : 식량 부족으로 인한 굶주림

② 발생 원인

- 가뭄, 홍수 등의 자연재해
- 기후변화로 인한 곡물의 생산량 감소 ⇒ 곡물 가격의 상승
- 개발도상국의 인구 급증에 따른 곡물의 수요 급증

③ 대표적 지역 : 중 · 남부 아프리카, 일부 아시아 지역 등

(3) 영토 · 영해 문제

1) **의미** : 영토 및 영해를 차지하기 위한 국가 간의 갈등

2) **원인** : 민족과 종교의 차이, 자원을 둘러싼 경제적 이익, 모호한 국경선 등

3) **대표적 사례** : 팔레스타인 분쟁, 카슈미르 분쟁, 센카쿠 열도 분쟁, 남중국해 분쟁, 포클랜드 분쟁 등

▲ 분쟁 지역 세계 지도

(4) 생물 다양성 감소

1) **의미** : 지구상에 존재하는 생물과 그들이 서식하는 환경의 다양성이 감소하는 것

2) **원인** : 인구 증가로 인한 각종 개발, 환경오염, 기후변화 등

3) **영향** : 자연계의 생물종은 상호 의존적 ⇒ 생물종의 감소 ⇒ 생태계의 파괴

2 세계 여러 나라의 발전 수준

(1) 지역별 발전 수준

1) **발생 원인** : 경제지표(국내 총생산, 국민 총소득 등) + 비경제지표(교육, 수명 등) + 자연 환경(기후, 지형 등) 등의 요소가 지역마다 다르기 때문에 발생

2) **지역 차**

① 선진국

- 18세기 산업 혁명을 통해 일찍부터 산업화를 이룸
- 1인당 국내 총생산(GDP) 및 국민 총소득(GNI)이 높음

② 개발도상국

- 20세기 이후 열강으로부터 독립되어 산업화가 진행
- 정치적 불안정(독재, 내전 등)
- 1인당 국내 총생산(GDP) 및 국민 총소득(GNI)이 낮음

(2) 저개발 국가의 빈곤 해결 노력 : 식량증산 정책 실시, 일자리 창출, 교육활동 강화, 선진국의 도움을 받아 국내 산업 육성 등

3 지역 간 불평등 완화를 위한 노력

(1) 국가 간 협력

1) **국제 연합(UN) 내 다양한 전문기구의 활용** : 세계 보건기구(WHO), 세계 식량계획(WFP), 국제 연합 아동 기금(UNICEF) 등

2) **국제 기구 활용** : 공적 개발 원조(ODA), 국제 부흥 개발은행(IBRD), 아시아 개발은행(ADB) 등

* 공적 개발 원조 : 정부를 비롯한 공공기관이 개발도상국이나 국제기구에 도움을 주는 것

(2) 국제 비정부기구(NGO)의 노력

1) **의미** : 민간단체를 중심으로 만들어진 조직으로 인도주의적 차원에서 구호 활동을 함
⇒ 국제기구를 보조, 오늘날 역할이 커짐

2) **사례** : 국경없는 의사회, 그린피스, 국제 적십자 등

(3) 공정 무역

1) **의미** : 선진국의 소비자가 개발도상국의 생산자에게 정당한 가격을 지불하여 생산자에게 무역의 혜택이 돌아가도록 하자는 운동

[예] 커피, 카카오, 바나나, 의류 등

2) **효과**

① 아동과 부녀자 등의 노동 착취를 방지하여 노동에 대한 공정한 대가를 받을 수 있음

② 소비자는 개발도상국의 어려운 사람들을 도울 수 있음

Exercises

01 다음 밑줄 친 '이것'이 의미하는 것은?

이것은 단기적으로는 면역력을 낮추고 전염병을 유행시키며, 장기적으로는 노동 생산성을 떨어뜨려서 사회 전체에 큰 타격을 주어 '소리 없는 쓰나미'라고 불린다.

① 전쟁　　② 지진해일
③ 생물 다양성 문제　　④ 기아

02 다음 (A) 안에 공통으로 들어갈 알맞은 말로 옳은 것은?

· 지구상에는 더 넓은 영토와 (A)를 차지하기 위한 갈등이 끊임없이 발생하고 있다.
· 최근에는 해상 교통의 요지와 풍부한 해저 자원을 확보하기 위한 (A) 갈등이 더욱 심해지고 있다.

① 종교　　② 영공
③ 영해　　④ 식량

03 다음에 해당하는 지역은?

· 아랍인과 유대인이 대립하고 있는 지역이다.
· 제2차 세계대전 이후 이스라엘 건국으로 분쟁이 심화되었다.
· 이스라엘과 아랍국 간의 중동 전쟁이 일어난 곳이다.

① 팔레스타인　　② 북아일랜드
③ 카슈미르　　④ 포클랜드

04 다음 설명에 해당하는 곳은?

· 중국과 일본의 영토 분쟁 지역이다.
· 중국의 영토였으나 청일 전쟁 후 일본 영토에 편입되었다.
· 주변 해역에 석유와 천연가스가 대량으로 매장되어있다.

① 난사 군도
② 쿠릴 열도
③ 시사 군도
④ 센카쿠 열도

05 다음과 같은 방법으로 최빈국에서 벗어난 아프리카의 국가는?

· 민주적 정치 제도의 개선
· 천연자원을 바탕으로 한 광공업의 발달
· 탄탄한 제도적 기반과 정부의 재정 관리 정책

① 보츠와나
② 터키
③ 인도
④ 리비아

06 개발도상국 주민의 빈곤 문제를 해결하고 경제적 자립을 도와주는 방법으로 가장 옳은 것은?

ㄱ. 식량 배급
ㄴ. 공정 무역 운동
ㄷ. 우물 만들기 사업 추진
ㄹ. 현지인의 직업 훈련 센터 설립

① ㄱ, ㄴ
② ㄴ, ㄹ
③ ㄷ, ㄹ
④ ㄴ, ㄷ

07 **다음에서 설명하는 것은?**

· 선진국과 개발도상국 간의 경제 불평등이 심화되는 무역구조를 개선하기 위한 것이다. · 개발국가에서 생산되는 제품에 대해 정당한 가격을 지불하여 생산자에게 무역의 혜택이 돌아가도록 하자는 운동이다.

① 공정 무역　　② 보호 무역
③ 자유 무역　　④ 관세 무역

08 **국제 비정부 기구로 옳지 <u>않은</u> 것은?**

① 그린피스
② 국경없는 의사회
③ 국제 연합
④ 국제 적십자사

정답 : 1. ④　2. ③　3. ①　4. ④　5. ①　6. ②　7. ①　8. ③

사회

인쇄일	2022년 9월 13일
발행일	2022년 9월 20일
펴낸이	(주)매경아이씨
펴낸곳	도서출판 국자감
지은이	편집부
주소	서울시 영등포구 문래2가 32번지
전화	1544-4696
등록번호	2008.03.25 제 300-2008-28호
ISBN	979-11-5518-111-9 13370

국자감 전문서적

기초다지기 / 기초굳히기

"기초다지기, 기초굳히기 한권으로 시작하는 검정고시 첫걸음"

· 기초부터 차근차근 시작할 수 있는 교재

· 기초가 없어 시작을 망설이는 수험생을 위한 교재

기본서

**"단기간에 합격! 효율적인 학습!
적중률 100%에 도전!"**

· 철저하고 꼼꼼한 교육과정 분석에서 나온 탄탄한 구성

· 한눈에 쏙쏙 들어오는 내용정리

· 최고의 강사진으로 구성된 동영상 강의

만점 전략서

"검정고시 합격은 기본! 고득점과 대학진학은 필수!"

· 검정고시 고득점을 위한 유형별 요약부터
  문제풀이까지 한번에

· 기본 다지기부터 단원 확인까지 실력점검

핵심 총정리

“시험 전 총정리가 필요한 이 시점! 모든 내용이 한눈에”

· 단 한권에 담아낸 완벽학습 솔루션

· 출제경향을 반영한 핵심요약정리

합격길라잡이

“개념 4주 다이어트, 교재도 다이어트한다!”

· 요점만 정리되어 있는 교재로 단기간 시험범위 완전정복!

· 합격길라잡이 한권이면 합격은 기본!

기출문제집

“시험장에 있는 이 기분! 기출문제로 시험문제 유형 파악하기”

· 기출을 보면 답이 보인다

· 차원이 다른 상세한 기출문제풀이 해설

예상문제

“오랜기간 노하우로 만들어낸 신들린 입시고수들의 예상문제”

· 출제 경향과 빈도를 분석한 예상문제와 정확한 해설

· 시험에 나올 문제만 예상해서 풀이한다

| 한양 시그니처 관리형 시스템 |

#정서케어 #학습케어 #생활케어

관리형 입시학원의 탄생

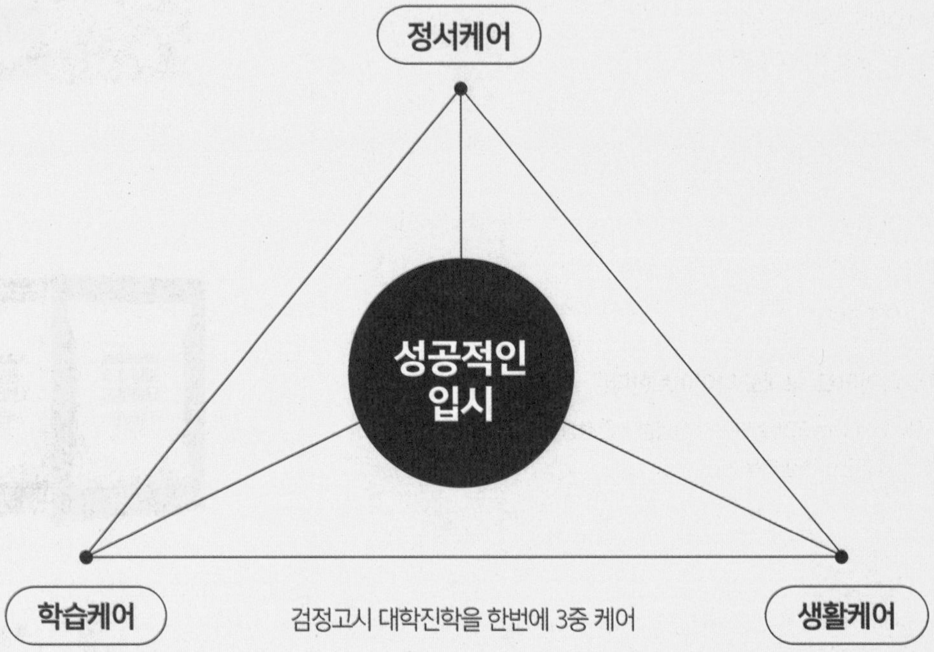

검정고시 대학진학을 한번에 3중 케어

정서케어

- 3대1 멘토링
  (입시담임, 학습담임, 상담교사)
- MBTI (성격유형검사)
- 심리안정 프로그램
  (아이스브레이크, 마인드 코칭)
- 대학탐방을 통한 동기부여

학습케어

- 1:1 입시상담
- 수준별 수업제공
- 전략과목 및 취약과목 분석
- 성적 분석 리포트 제공
- 학습플래너 관리
- 정기 모의고사 진행
- 기출문제 & 해설강의

생활케어

- 출결점검 및 조퇴, 결석 체크
- 자습공간 제공
- 쉬는 시간 및 자습실
  분위기 관리
- 학원 생활 관련 불편사항
  해소 및 학습 관련 고민 상담

HANYANG
ACADEMY

한양 프로그램 한눈에 보기

· 검정고시반 중·고졸 검정고시 수업으로 한번에 합격!

기초개념	기본이론	핵심정리	핵심요약	파이널
개념 익히기	과목별 기본서로 기본 다지기	핵심 총정리로 출제 유형 분석 경향 파악	요약정리 중요내용 체크	실전 모의고사 예상문제 기출문제 완성

· 고득점관리반 검정고시 합격은 기본 고득점은 필수!

기초개념	기본이론	심화이론	핵심정리	핵심요약	파이널
전범위 개념익히기	과목별 기본서로 기본 다지기	만점 전략서로 만점대비	핵심 총정리로 출제 유형 분석 경향 파악	요약정리 중요내용 체크 오류범위 보완	실전 모의고사 예상문제 기출문제 완성

· 대학진학반 고졸과 대학입시를 한번에!

기초학습	기본학습	심화학습/검정고시 대비	핵심요약	문제풀이, 총정리
기초학습과정 습득 학생별 인강 부교재 설정	진단평가 및 개별학습 피드백 수업방향 및 난이도 조절 상담	모의평가 결과 진단 및 상담 4월 검정고시 대비 집중수업	자기주도 과정 및 부교재 재설정 4월 검정고시 성적에 따른 재시험 및 수시컨설팅 준비	전형별 입시진행 연계교재 완성도 평가

· 수능집중반 정시준비도 전략적으로 준비한다!

기초학습	기본학습	심화학습	핵심요약	문제풀이, 총정리
기초학습과정 습득 학생별 인강 부교재 설정	진단평가 및 개별학습 피드백 수업방향 및 난이도 조절 상담	모의고사 결과진단 및 상담 / EBS 연계 교재 설정 / 학생별 학습성취 사항 평가	자기주도 과정 및 부교재 재설정 학생별 개별지도 방향 점검	전형별 입시진행 연계교재 완성도 평가

HANYANG
ACADEMY

D-DAY를 위한 신의 한수
검정고시생 대학진학 입시 전문
검정고시 합격은 기본!
대학진학은 필수!
입시 전문가의 컨설팅으로 성적을 뛰어넘는 결과를 만나보세요!
HANYANG ACADEMY
YouTube
HANYANG
ACADEMY